# Coleção Literatura Brasileira

**TOMÁS ANTÔNIO GONZAGA**

1. MARÍLIA DE DIRCEU

**MACHADO DE ASSIS**

1. RESSURREIÇÃO • 2. A MÃO E A LUVA • 3. HELENA • 4. IAIÁ GARCIA • 5. MEMÓRIAS PÓSTUMAS DE BRÁS CUBAS • 6. QUINCAS BORBA • 7. DOM CASMURRO • 8. ESAÚ E JACÓ • 9. MEMORIAL DE AIRES • 10. CONTOS FLUMINENSES • 11. HISTÓRIAS DA MEIA NOITE • 12. PAPÉIS AVULSOS • 13. HISTÓRIAS SEM DATA • 14. VÁRIAS HISTÓRIAS • 15. PÁGINAS RECOLHIDAS • 16. RELÍQUIAS DE CASA VELHA • 17. CASA VELHA • 18. POESIA COMPLETA • 19. TEATRO.

**LIMA BARRETO**

1. RECORDAÇÕES DO ESCRIVÃO ISAÍAS CAMINHA • 2. TRISTE FIM DE POLICARPO QUARESMA • 3. NUMA E A NINFA • 4. VIDA E MORTE DE M. J. GONZAGA DE SÁ • 5. CLARA DOS ANJOS • 6. HISTÓRIAS E SONHOS • 7. CONTOS REUNIDOS.

**JOSÉ DE ALENCAR**

1. GUARANI (1857) • 2. A VIUVINHA (1860) - CINCO MINUTOS (1856) • 3. LUCÍOLA (1860) • 4. IRACEMA (1854) • 5. ALFARRÁBIOS • 6. UBIRAJARA (1874) • 7. SENHORA (1875) • 8 . ENCARNAÇÃO (1893).

**MANUEL ANTÔNIO DE ALMEIDA**

1. MEMÓRIAS DE UM SARGENTO DE MILÍCIAS

**EDUARDO FRIEIRO**

1. O CLUBE DOS GRAFÔMANOS • 2. O MAMELUCO BOAVENTURA • 3. BASILEU • 4. O BRASILEIRO NÃO É TRISTE • 5. A ILUSÃO LITERÁRIA • 6. O CABO DAS TORMENTAS • 7. LETRAS MINEIRAS • 8. COMO ERA GONZAGA? • 9. OS LIVROS NOSSOS AMIGOS • 10. PÁGINAS DE CRÍTICA • 11 O DIABO NA LIVRARIA DO CÔNEGO • 12. O ALEGRE ARCIPRESTES • 13. O ROMANCISTA AVELINO FÓSCOLO • 14. FEIJÃO, ANGU E COUVE • 15. TORRE DE PAPEL • 16. O ELMO DE MAMBRINO • 17. NOVO DIÁRIO.

**BERNARDO GUIMARÃES**

1. A MINA MISTERIOSA • 2. A INSURREIÇÃO • 3. O BANDIDO DO RIO DAS MORTES • 4. A ESCRAVA ISAURA.

**MÁRIO DE ANDRADE**

1. OBRA IMATURA • 2. POESIAS COMPLETAS • 3. AMAR, VERBO INTRANSITIVO • 4. MACUNAÍMA • 5. OS CONTOS DE BELAZARTE • 6. ENSAIO SOBRE A MÚSICA BRASILEIRA • 7. MÚSICA, DOCE MÚSICA • 8. PEQUENA HISTÓRIA DA MÚSICA • 9. NAMOROS COM A MEDICINA • 10. ASPECTOS DA LITERATURA BRASILEIRA • 11. ASPECTOS DA MÚSICA BRASILEIRA • 12. ASPECTOS DAS ARTES PLÁSTICAS NO BRASIL • 13. MÚSICA DE FEITIÇARIA NO BRASIL • 14. O BAILE DAS QUATRO ARTES • 15. OS FILHOS DA CANDINHA • 16. PADRE JESUÍNO DO MONTE CARMELO • 17. CONTOS NOVOS • 18. DANÇAS DRAMÁTICAS DO BRASIL • 19. MODINHAS IMPERIAIS • 20. O TURISTA APRENDIZ • 21. O EMPALHADOR DE PASSARINHO • 22. OS COCOS • 23. AS MELODIAS DO BOI E OUTRAS PEÇAS • 24. TÁXI E CRÔNICAS NO DIÁRIO NACIONAL • 25. O BANQUETE.

# A CARTEIRA DE MEU TIO

Coleção Literatura Brasileira

Diretor editorial
*Henrique Teles*

Produção editorial
*Eliana S. Nogueira*

Arte gráfica
*Bernardo C. Mendes*

Revisão
*Eduardo Satlher Ruella*

**EDITORA GARNIER**
Belo Horizonte
Rua São Geraldo, 53/67 - Floresta - Cep.: 30150-070 - Tel.: (31) 3212-4600
e-mail: vilaricaeditora@uol.com.br

JOAQUIM MANUEL DE MACEDO

# A CARTEIRA DE MEU TIO

GARNIER
desde 1844

Dados Internacionais de Catalogação na Publicação (CIP) de acordo com ISBD

M141c Macedo Joaquim Manuel de

A carteira de meu tio / Joaquim Manuel de Macedo. - 2. ed. - Belo Horizonte - MG : Garnier, 2021.

132 p. ; 14cm x 21cm.

Inclui índice.
ISBN: 978-65-86588-26-2

1. Literatura brasileira. 2. Ficção. I. Título.

2020-1879 CDD 869.8992
CDU 821.134.3(81)

Índice para catálogo sistemático:
1. Literatura brasileira : Ficção 869.8992
2. Literatura brasileira : Ficção 821.134.3(81)

# ÍNDICE

O Honrado e Facundo Joaquim Manuel de Macedo 9
A Carteira de Meu Tio 20
Capítulo I 30
Capítulo II 42
Capítulo III 68
Capítulo IV 100

# O HONRADO E FACUNDO JOAQUIM MANUEL DE MACEDO

Há escritores cuja obra é uma pesquisa deles próprios, e que parecem escrever em função de certas características pessoais, tomando o leitor como acessório e procurando convertê-lo à sua visão do homem. Por isso requerem de nós o esforço de substituir hábitos mentais por uma atitude nova, capaz de penetrar na maneira novamente proposta; a intensidade de esforço despendido por nós dá o índice da singularidade do autor.

Outros, todavia, parecem preocupar-se, não tanto com a sua mensagem, quanto com a possibilidade receptiva do leitor, a cujos hábitos mentais procuram ajustar a obra, sem grande exigência. Neste caso, a sua força não provém da singularidade do que exprimem, mas do fato de saberem fornecer ao leitor mais ou menos o que ele espera, ou é capaz de esperar. A facilidade com que o leitor apreende o texto é, geralmente, o índice da conformidade deste com as possibilidades médias de compreensão e as expectativas do meio.

Isto não quer dizer, como pareceria à primeira vista, que os da primeira espécie sejam grandes, e medíocres os da segunda. Mas apenas que há duas maneiras principais de comunicação literária pelo romance: uma, caracterizada pela circunstância do escritor impor os seus padrões; outra, pela sua adequação aos padrões correntes. Nos dois grupos há fortes e fracos, e nos grandes romancistas não é rara a coexistência das duas orientações. Assim, vemos por vezes uma superfície acessível e sem mistério cobrir, para o leitor ou mesmo a época literária menos experientes, certos valores raros e profundos, como os que Stendhal reservava aos *happy few*. Exemplo típico é Machado de Assis, celebrado longamente pelo que havia nele de mais epidérmico, até que nos nossos dias fosse ressaltada, por Augusto Meyer, Lúcia Miguel-Pereira e Barreto Filho (os seus maiores críticos), a força recôndita, que faz a sua grandeza real e singular.

Balzac, Dickens, Eça de Queirós, são grandes romancistas que se enquadram no segundo dos grupos indicados. Nele se contém igualmente o folhetim de capa-e-espada, a ficção novelesca, sentimental ou humanitária, que foi alimento principal do leitor médio no século XIX e serviu para consolidar o romance enquanto gênero primeiro plano, tornando-o hábito arraigado, como hoje o do cinema ou radionovela, que o vão substituindo.

## Fidelidade ao meio

Não poderíamos encontrar no Brasil, em todo o século passado, escritor mais ajustado a esta via de comunicação fácil do que Joaquim Manuel de Macedo. O pequeno valor literário da sua obra é principalmente social, pelo fato de ele se ter esforçado em transpor a um gênero novo entre nós os tipos, as cenas, a vida de uma sociedade em fase de estabilização, lançando mão de estilo, construção, recursos narrativos os mais próximos possíveis da maneira de ser e falar das pessoas que o iriam ler. Ajustando-se estreitamente ao meio fluminense do tempo, proporcionou aos leitores duas coisas que lhe garantiram popularidade e, mesmo, a modesta imortalidade que desfruta: narrativas cujo cenário e personagens eram familiares, de todo o dia; peripécias e sentimentos enredados e poéticos, de acordo com as necessidades médias de sonho e aventura.

Enquanto fornecia elementos gratos à sensibilidade do público, ia extraindo deles as consequências que não ocorrem no quotidiano e, desta forma, influindo no gosto, dando estilo às aspirações literárias do burguês carioca, ou, como se dizia então, fluminense. E assim como Alencar inventou um mito heroico, Macedo deu origem a um mito sentimental, *a Moreninha*, padroeira de namoros que ainda faz sonhar as adolescentes.

Realidade, mas só nos dados iniciais; sonho, mas de rédea curta; incoerência, à vontade; verossimilhança, ocasional; linguagem, familiar e espraiada: eis a estética dos seus romances.

Correndo os olhos por esta obra longa e prolixa (em trinta e quatro anos de produtividade, vinte romances, doze peças de teatro, um poema, mais de dez volumes de variedades), vem-nos a impressão de que o bom e simpático Macedinho, como era conhecido, cedeu antes de mais nada a um impulso irresistível de tagarelice. Os seus romances, digressivos e coloquiais; entremeados de piadas ou lágrimas, à vontade; tendendo à caricatura, mesmo ao lado da tragédia; cheios de alusões à política e aos acontecimentos — os seus romances parecem, antes, narrativa oral de alguém muito conversador, cheio de casos e novidades, não desdenhando uns enfeites para realçar a alegria ou tristeza do que vai contando.

Ora, em boa literatura, apenas na aparência a prosa é *natural* ou equivalente da fala diária; entre ambos há um afastamento necessário, sempre que o escritor pretende algo mais que divertir um público mediano. No romance brasileiro desse acentuada a tendência para a prosa falada, seja familiar, seja oratória. Assim é em Teixeira e Sousa, em Macedo e, como veremos, Bernardo Guimarães, que é uma espécie de Macedo caipira.

A tagarelice possui vantagens e desvantagens. Vantagem é, exemplo, o corretivo que traz à grandiloquência e gigantismo românticos. A vocação coloquial desperta o interesse pelo mundo circundante, onde se vão buscar os elementos da conversa; desperta acuidade para os pequenos casos, os pormenores expressivos e menos aparentes, que por vezes definem melhor a natureza das ações. Determina, por fim, a simplicidade e a familiaridade do estilo, que Dutra e Melo tanto gabou: "Vê-se que uma facilidade, uma simpleza, um não sei que de franco, de interessante, de desimpedido, são os dotes principais do estilo em que é manejada a *Moreninha*; e tal julgamos ser o caráter do autor" — diz com muita finura, pois ao definir o estilo, enumero as características de Macedo.[1]

Esta simplicidade, portanto, esta abertura no modo de ser, conduziram o nosso conversador a observar o que lhe estava à roda. Se de um lado este pequeno-realismo restringe a observação, limitando o seu alcance ao que fica dentro de um certo raio, de outro proporciona um substrato mais ou menos tangível e sólido, que as próprias fugas do devaneio romântico não dissolvem inteiramente — ao contrário do que se dá com Teixeira e Sousa, homem sombrio e nada comedido. Isto, porque é bastante fiel ao meio que observa, como se pode verificar, por exemplo, pelas profissões dos seus personagens. Raramente se esquece de indicá-las, e então vemos passar e repassar à nossa vista o comerciante, grande e pequeno, o empregado do comércio, o funcionário público pequeno ou grande, o político, o estudante; ao fundo, o fazendeiro. Apenas vez por outra, quase sempre de modo transitório, surge o rapaz sem profissão certa, o marginal, por isso mesmo romântico, mas logo acomodado numa das categorias indicadas, que esgotavam praticamente as possibilidades de vida burguesa no Rio daquele tempo

1. A. F. Dutra e Melo, "*A Moreninha*", MB, vol. II, pág. 748.

e, pois, no universo romanesco de Macedo, que o descreve fielmente. Homem da classe média urbana, quase não sentiu o atrativo do rebelde, do selvagem, do bandido, da decaída, que arrebataram as imaginações mais cálidas de Teixeira e Sousa, Bernardo, Alencar, Távora. Não lhe interessou também a arraia miúda colorida e movimentada de Manuel Antônio de Almeida. Ficou no círculo restrito da sua classe e da sua cidade, desconhecendo personagens incompatíveis com os respectivos gêneros de vida.

Os heróis d'A *Moreninha* são quatro estudantes de medicina; as senhoras são filhas ou esposas de comerciantes. N' *O Moço Loiro*, duas famílias esteiam a narrativa; a primeira, modesta, de um funcionário algo ridículo, com uma mulher e uma filha porfiando em brilhar na sociedade, em aparecer e dar festas. Outra, de comerciantes opulentos e dignos, mas cheia de mistérios e encrencas que dinamizam a narrativa toda, e à qual pertencem o herói e a heroína. O vilão e o subvilão, são, comerciante o primeiro, caixeiro o segundo. E assim vai tudo.

Alguns dos seus romances patenteiam, mais que outros, esta fidelidade ao sistema das posições e relações na sociedade do tempo. Se em muitos deles tudo gira em torno do amor, não é apenas porque o romancista leva em conta o público feminino, ou porque o sexo constitua um fulcro da literatura. Analisando o tipo de amor que descreve, veremos que na base das complicações sentimentais — namoricos, faniquitos, intriguinhas, negaceios — há uma infraestrutura determinada pela posição da mulher, nessa sociedade acanhada de comerciantes, funcionários e fazendeiros, onde ela era um dos principais transmissores de propriedade, um dos meios de obter fortuna ou qualificação. Daí os combates que se travam ao seu redor e cuja verdadeira natureza vem descrita em *Rosa*.

Se os homens se lançam ao amor com tanta aplicação, é porque nele está a oportunidade de colocação na vida. Os cínicos, como Faustino, calculam friamente e o autor se vale deles para estigmatizar o carreirismo matrimonial. Os puros, como o estudante Juca, obedecem ao sentimento... Mas não erram na escolha do melhor partido. As mulheres, do seu lado, percebem que, sendo o casamento a sua grande carreira, o amor é uma técnica de obtê-lo do melhor modo.

A fidelidade ao real leva Macedo a alicerçar as suas ingênuas intrigas sentimentais com fundamentos bem assentados no interesse econômico, e a descrever a estratégia masculina do ponto de vista da caça ao dinheiro. Ainda nisso revela fidelidade ao meio, desvendando alguns mecanismos essenciais da moral burguesa, apoiada na necessidade de adquirir, guardar e ampliar propriedade. Os labirintos românticos da paixão tornam-se as veredas sociais do namoro, neste bom burguês incapaz de trair a realidade que o cerca, acabando sempre por harmonizar no matrimônio o dote da noiva e o talento sutilmente mercável do noivo.

Não inventa, portanto, condições socialmente impossíveis para os personagens: os seus impossíveis são de ordem física ou psíquica, nunca de ordem social. Isto era implícito, aliás, na concepção que formava do romance, e exprime a certo passo de *Os Dois* Amores:

*"— (...) pensas que os romances são mentiras?...*

*— Tenho certeza disso.*

*— Neste ponto estás muito atrasada, D. Celina; os romances têm sempre uma verdade por base; o maior trabalho dos romancistas consiste em desfigurar essa verdade de tal modo, que os contemporâneos não cheguem a dar os verdadeiros nomes de batismo às personagens que aí figuram".*

Talvez os seus personagens nem sempre partam de tipos existentes, conforme pretende ele e recomendava Stendhal; mas a posição deles no mundo é sempre definida, testemunhando a fidelidade com que os transpunha do meio social carioca. Por isso já os contemporâneos o reputavam fiel na pintura dos costumes.

## Banalidade e fantasia

Se a vocação coloquial de Macedo serviu para estabilizar a sua obra, graças a um pequeno realismo que o tornou sensível às condições sociais do tempo, ela reforçou, por outro lado, a sua mediocridade. Aceitou os tipos que via em torno, sem maior exigência artística, dentro das normas sumárias duma psicologia pouco expressiva. Tanto que nos perguntamos como é possível pessoas tão chãs se envolverem nos arrancos romanescos a que as submete. Nada mais revelador, neste sentido, que os seus desfechos, onde tudo se equilibra e soluciona da melhor maneira e os personagens deixam de ser maus, ou aventureiros, ou excepcionais de qualquer modo, para se nivelarem e irmanarem, inteiramente iguais, uma vez passada a agitação mais exterior que interior da narrativa. A sua psicologia revela quase sempre este caráter: os personagens são apresentados por meio de avaliações, como era corrente entre os românticos (o bom, o mau, a leviana, o tolo) e sempre foi na conversa sem responsabilidade; e tais avaliações são provisórias, desfazendo-se geralmente no fim (ainda como na prosa fiada sem consequências). Em lugar de análise, efetua julgamentos sumários e sem matizes, pronto a reformá-las abruptamente quando as circunstâncias exigirem, e mesmo quando não exigirem, dando prova de uma boa índole que passa da vida à literatura. N*'O Moço Loiro,* por exemplo, as duas almas danadas, Lucrécia e Otávio, são descartadas amavelmente no final, para não serem humilhadas nem atrapalharem, dando-lhes, contudo, antes, oportunidade para se revelarem boas pessoas, cegadas um momento pela paixão. A doce ingenuidade do trecho seguinte marca muito bem de que modo trazia os vilões à normalidade familiar, quando já não necessitava da sua vilania para a marcha do enredo: "*(...) livre por um instante do alarido das paixões, a alma de Otávio começou para logo a ouvir a voz pausada, grave e monótona da consciência, voz que é sempre a mesma com o mesmo timbre, e que jamais se cala incessante e monótona como as vagas do mar, ou como o tique-taque da pêndula do relógio, que defronte estava.*" (Note-se que a voz da consciência só se faz ouvir nos seus livros quando o autor precisa dela...). Muito mais surpreendente é a regeneração final do personagem de mais constante, meticulosa e acabada vilanice de quantos criou, o Salustiano de *Os Dois Amores. "Eu era um moço perdido, sem nobreza, sem generosidade, e sem amor do que é verdadeiramente belo; provarei, que, com o exemplo da honra, soube conhecer os meus erros (...). Voltarei talvez um dia (...) quando o estudo, a meditação, as lágrimas e as viagens tiverem gasto todos os meus remorsos, e me disserem que já não sou o mesmo".*

Como se vê, as mudanças espirituais são abruptas e vêm de acordo com os acontecimentos e as necessidades narrativas. Obediente, no ponto de partida, às sugestões do meio, traça personagens *convencionais*, isto é, correspondentes à expectativa corrente do leitor; traça-os segundo modelos quotidianos, acessíveis ao julgamento médio e, portanto, delimitados pelos padrões mais corriqueiros. No seu tempo estes exigiam também, na literatura, a excitação febril da peripécia; e Macedo, de seu lado, precisava dela para dar relevo aos seus personagens-de-toda-hora. Como não tem vida interior, mas apenas dois ou três traços mais ou menos pitorescos, a narrativa deve, na sua marcha, submetê-los ao acontecimento. E muito embora preferisse a piada e o prosaísmo, e em sua obra domine o mencionado pequeno realismo, nem por isso deixou de consumir desabaladamente tudo o que é acessório ou exterior à evolução dos sentimentos: segredos que afloram, mortes, revelações, intervenções oportunas; cordéis de toda casta.

O conformismo em face do quotidiano leva-o, pois, a um realismo miúdo, que não enxerga além das aparências banais nem penetra mais fundo que a psicologia elementar dos caixeiros bem falantes, donzelas casadoiras e velhotes apatacados. Miúdo realismo que não provém apenas de um defeito de acuidade e imaginação, mas também desta aderência ao meio sem relevo social e humano da burguesia carioca — de vez que se afasta apreensivo, como a velha Ema, *n'O Moço Loiro*, do mundo mais rico e promissor das revoltas populares, da agitação ideológica do período que precede imediatamente a sua atividade literária. Mas a par desse primeiro tipo de conformismo, aparece na sua obra um outro, que chamaríamos poético, e vem a ser o emprego dos padrões mais próprios à concepção romântica, segundo acaba de ser sugerido: lágrimas, treva, traição, conflito. Em Macedo, esta ruptura parcial da bonomia pequeno-realista não é devida apenas à tendência folhetinesca, muito propensa a maltratar a verossimilhança. Se pula gostosamente sobre esta é porque obedece a uma inclinação, recessiva na sua personalidade literária, para o Romantismo tenebroso do dramalhão, da poesia tumular, do sentimentalismo masoquista. Por isso, emprega tão desenvoltamente os choques morais e as situações dramáticas. *N'O Moço Loiro* há um nítido "complexo de Monte Cristo", ou seja, a obsessão com as forças ocultas que se encarnam na missão de um personagem excepcional, dotado de ubiquidade, onisciência e onipotência, conduzindo fatalmente a narrativa a um alvo preestabelecido.

Assim, vemos que obedecia a duas convenções, porque a sua produção tinha dois esteios: *o real e o poético.* A sua alma romântica se manifesta saborosamente neste contraste, (que não o era para o tempo), entre a normalidade inicial e final dos personagens e a anormalidade das peripécias por que os faz passar de permeio, e não nos parecem compatíveis com as tendências, gostos, posição deles. Vimos que isto é possível porque, na verdade, tudo está *fora*, não *dentro* dos personagens. A anormalidade da situação e dos sentimentos desliza por assim dizer sobre eles, e o eixo *poético* não interfere, no final das contas, com o *real.*

Se procuramos encarar independentemente estes dois eixos, veremos que na sua obra cada um tende a manifestações mais ou menos puras, onde aparece com a máxima nitidez. O pequeno-realismo se exprime, por exemplo, com maior pureza na veia cômica, entremeada por toda a sua obra. Ele adora a piada, a alusão engraçada, feita para o riso franco das rodas masculinas, exprimindo a vulgaridade do meio que retratou e fora estabilizado pelo período regencial sobre as ruínas de uma aristocracia incipiente e mais refinada, devida a um quarto de século de vida palaciana, bruscamente interrompida pelo impulso democrático posterior ao *Sete de Abril.* Só numa sociedade bastante chucra poderiam ter bom curso as suas chalaças, que ultrapassavam a vulgaridade, indo não raro à rasgada grosseria. Sirva de exemplo a graçola de Augusto, n'*A Moreninha*, preparada com delícias pelo autor na cena entre ele e D. Violante, e francamente saboreada por um homem tão delicado quanto Dutra e Melo, numa prova de quanto, ainda nisso correspondia Macedo às expectativas do meio.

Além das piadas e ditos, abundam situações cômicas, algumas muito bem desenvolvidas, como a briga dos esposos Venâncio e Tomásia, d '*O Moço Loiro*, bom trecho de chanchada. Certos romances, como *A Luneta Mágica,* são todos cômicos; ao mesmo filão prendem-se, *A Carteira do Meu Tio e Memórias do Sobrinho do Meu tio,* sátiras políticas e sociais. É todavia no seu teatro que encontramos a mais depurada expressão desta tendência.

A tendência *poética* manifesta-se não apenas na peripécia folhetinesca, mas, ainda, no sentimentalismo por vezes deslavado das cenas de amor e amizade, das afeições alambicadas e deformadas pela mais vulgar pieguice. Esta idealização extrema de gestos e palavras desloca para o inverossímil (provisoriamente, como vimos) as maneiras burguesas registradas pela observação; mas já ficou dito até que ponto correspondia à convenção sentimental e artística prezada pelo leitor, que nela via um disfarce essencial ao romance. Em alguns predomina exclusivamente, como n*'Os Dois Amores,* para não falar n*'As Vítimas Algozes.* Mas em estado por assim dizer de pureza, é n*'A Nebulosa,* poema novelesco, que o vamos achar. O seu romance fica, pois, situado no cruzamento das duas tendências — uma tributária do realismo miúdo, outra da idealização inverossímil.

## Balanço

Pelo dito, vemos que teve pouco das três acuidades fundamentais do bom romancista: a sociológica, a psicológica, a estética; em todo o caso, mais a primeira que as outras duas. Nele, a visão da sociedade e do homem era estreita e superficial; o sentimento da beleza, bem fraco. Como criador e como pessoa parece-nos mediano, sem relevo de qualquer espécie. Foi bem o Macedinho da tradição carinhosa, bom pai e bom cidadão, fiel ao imperador e aos correligionários, conformista e comedido, tão comodista que recusou a pasta de ministro por que ardeu o ambicioso Alencar. Professor dos filhos da Princesa Isabel, homem representativo da ala conservadora do Partido Liberal, intermediário entre o Paço e os políticos, é possível, todavia, não ter experimentado outra ambição que a literária. Nunca utilizou a carta de médico, e parece que aceitou várias deputações como emprego pouco trabalhoso. O que fez realmente com amor, sem desfalecimento, durante quase quarenta anos, foi escrever. "Até no colégio de Pedro II enquanto fingia prestar atenção ao que dizia o aluno, que expunha a lição , corrigia provas de romances de romances", conta um ex-discípulo.[2] Assim tão ameno e bom sujeito, não é de espantar fosse o romancista querido das famílias.

Não é também de espantar que a sua visão seja tão pobre, quase todos os seus livros se desprenda uma boa vontade cheia de bonomia e otimismo. Se já houve quem dissesse que o mal é necessário, para Macedo ele é apenas passageiro. Vimos como em sua obra tudo se resolve, explica e perdoa. O escritor familiar timbra nas amenidades finais, que reconciliam com a vida e o semelhante. O vício é a privação momentânea da virtude; mesmo a pobreza é uma suspensão da abastança. A maldade é provisória, o bem, definitivo: eis a moral dos seus livros. Nunca escritor reduziu tanto a psicologia à moral, e esta ao catecismo. Se não fosse o vinco amargo deixado pela escravidão na sua consciência de homem e escritor *(Vítimas Algozes)*, poderíamos dizer que o mal, para ele, era no fundo um recurso literário, feito para realçar o bem, como sentia Dutra e Melo com agrado ao celebrar a boa doutrina d*'A Moreninha.*

Às vezes, porém, um sentimento mais vivo da realidade social e espiritual coava por entre essa pastosa mediocridade e ele compreendia não só a condição desumana do escravo, mas, no início da carreira, a dura sorte do homem pobre. A miséria é assinalada n*'Os Dois Amores'* com um senso bastante agudo, que escapa ao sentimentalismo habitual das suas páginas e apreende o sentido contraditório das relações entre pobre e rico. Diríamos quase sentido dialético, porque entrevê um conflito, que supera a oposição. Depois de analisar "a fisiologia do coração do pobre, a fisionomia da sociedade em que ele vive; sociedade geralmente pervertida, que repele sem discutir a pobreza e o desvalimento" conclui pela solidariedade na culpa de todos os privilegiados, mesmo quando bons individualmente, e remata: "Sabeis qual é, e qual será o resultado de tudo isto?... É que hoje o pobre já não tem amor às

2. Alcides Flávio, "Joaquim Manuel de Macedo", *Velaturas,* págs. 272

instituições, nem confiança no governo; porque as leis servem somente para puni-lo, e o governo não cura de protegê-lo. É que amanhã o pobre terá em desprezo a lei, e há de desconfiar da sociedade que governa;[3] e depois de amanhã... e no futuro, num dia enfim que felizmente bem longe está ainda, o povo pobre que é muito mais numeroso do que o povo rico, perguntará àqueles que estão de cima — se ainda não é tempo de minorar-se o peso da sua cruz, se o seu calvário não se acaba de subir nunca.

É que hoje o pobre indiferente e sofredor, carrega o seu peso silencioso como o camelo, e um dia mais tarde, ai de nós se ele chegar, levantará a cabeça orgulhoso como o leão, e terrível como o tigre".

A experiência das agitações regenciais, toda a maré de inquietude e esperança democrática, rompida pela coligação cada vez mais sólida dos homens da ordem e do dinheiro, dissolvida no paternalismo escravocrata do Segundo Reinado, deve ter marcado a sensibilidade de Macedo, para que a sua vista ficasse, por um momento, tão clara e penetrante. Mas por pouco tempo; toda aquela tirada se faz a propósito do moço Cândido, terno herói sem dinheiro nem família. Macedo não tarda em lhe dar uma coisa e outra, mais a heroína, mais a mãe desconhecida, mais a regeneração do mau irmão. Mais houvesse mais daria, para desfazer a última ruga deste romance, dos mais negros que escreveu, cheio de lágrimams e sofrimento, tão carregado de mistérios e quiproquós que, a certa altura, se vê obrigado a levantar uma tabela das complicações... Romance exemplar da subliteratura romântica, a que nada falta no gênero e que por isso mesmo, pelo acúmulo de tolices e truques estereotipados, chega a ser valioso como paradigma.

Mas não sobrecarreguemos a memória do nosso Macedinho. Lembremos que lhe cabe a glória de haver lançado a ficção brasileira na senda dos estudos de costumes urbanos, e o mérito de haver procurado refletir fielmente os da sua cidade. O valor documentário permanece grande, por isso mesmo, na obra que deixou. Os saraus, as visitas, as partidas, as conversas; os domingos na chácara, os passeios de barca; as modas, as alusões à política; a técnica do namoro, de que procura elaborar verdadeira fenomenologia; a vida comercial e o seu reflexo nas relações domésticas e amorosas — eis uma série de temas essenciais para compreender a época, e que encontramos bem lançados em sua obra, de que constituem talvez o principal atrativo para o leitor de

3. Macedo chama "sociedade que governa" à classe política e economicamente dominante; e "sociedade em geral", à sociedade.

hoje. O que lhe faltou foi gosto ou força, para integrar esses elementos num sistema expressivo capaz de nos transportar, apresentando personagens carregados daquela densidade que veremos nalguns de Alencar, antes que surgisse a galeria de Machado de Assis.

# A CARTEIRA DE MEU TIO

## INTRODUÇÃO ET CETERA

Eu...

Bravo! Bem começado! Com razão se diz que — pelo dedo se conhece o gigante! — Principiei tratando logo da minha pessoa; e o mais é que dei no vinte; porque a regra da época ensina que — cada um trate de si antes de tudo e de todos.

Aquele que enrugar a fronte com esta minha franqueza, ou é um velhaco ou um tolo: se for velhaco, não espere que eu lhe dê satisfações; pode ir seguindo a sua derrota; abra as velas do seu barco, faça boa viagem, pois que lhe sopra vento galerno e propício, e não se importe comigo. Agora, se for tolo, o remédio é antigo e sabido: — peça a Deus que o mate, e... *et cetera.*

Egoísmo! Bradarão aqueles que não veem meio palmo adiante do nariz: *patetas!* lhes respondo eu de antemão. A regra, à que me cingi, não tem nada de vil nem de baixa; e a prova é que ela nos vem dos grandes, que não são vis, e se observa no poleiro político, que não fica embaixo.

Eu sigo as lições dos mestres.

No pronome *Eu* se resume atualmente toda política e toda moral: é certo que estes conselhos devem ser praticados, mas não confessados; bem sei, bem sei, isso é assim: a hipocrisia é um pedaço de véu furtado a uma virgem para cobrir a cara de uma mulher devassa: tudo isso é assim: mas o que querem?... ainda não sou um *espírito forte* completo, ainda não pude corrigir-me do estúpido vício da franqueza.

Eu digo as coisas como elas são: há só uma verdade neste mundo, é o *Eu*; isto de pátria, filantropia, honra, dedicação, lealdade, tudo é peta, tudo é história, ficção, parvoíce; ou (para me exprimir no dialeto dos grandes homens) tudo é poesia.

Pátria!... é verdade: por exemplo, que é a pátria?... ora eu vou dizer em poucas palavra o que ela é, pelo menos aqui na nossa terra.

A pátria é uma enorme e excelente garopa: os ministros de estado, a quem ela está confiada, e que sabem tudo muito, mas principalmente gramática e conta de repartir, dividem toda nação em um grupo, séquito e multidão: o grupo é formado por eles mesmos e por seus compadres, e se chama — nós —, o séquito um pouco mais numeroso se compõe dos seus afilhados, e se chama — vós — e a multidão, que compreende uma coisa chamada oposição e o resto do povo, se denomina — eles —; ora, agora aqui vai a teoria do *Eu*: os ministros repartem a garopa em algumas postas grandes, e em muitas mais pequenas, e dizem eloquentemente: "as postas grandes são para *nós*, as mais pequenas são para *vós*" e finalmente jogam ao meio da rua as espinhas, que são para *eles*. O resultado é que todo o povo anda sempre engasgado com a pátria, enquanto o grupo e o séquito passam às mil maravilhas à custa dela!

Eis aí o que é a pátria atualmente!

Se pois a religião do *Eu* é tão cultivada lá por cima, por que não a cultivarei também apesar de andar cá por baixo?... A verdade é a verdade em toda parte, e tanto no sobrado, como na casa térrea.

Viva o *Eu*!...

Mas que vergonhosa contradição! Tenho despendido mil palavras a falar do *Eu* em abstrato e ainda não disse ainda a respeito de mim mesmo, como o dogma ensina! Triunfe pois o concreto sobre o abstrato! O concreto é este criado dos senhores leitores: vou já emendar a mão; estou em cena.

Senhores, eu sou sem mais nem menos o *sobrinho de meu tio:* não se riam, que não há razão para isso: queriam o meu nome de batismo ou de família?... não valho nada por ele, e por meu tio sim, que é um grande homem. Estou exatamente no caso de alguns candidatos ao parlamento e a importantes empregos públicos, cuja única recomendação é neste o ser filho do Sr. Fulano, naquele ser neto do Sr. Beltrano, e até às vezes naquele outro ser primo da Sra. D. Sicrana.

Quererão observar-me que, em vez de me declarar sobrinho de meu tio, deveria antes apresentar-me como filho de meu pai?... eis aí uma asneira como tantas outras! Eu gosto de cingir-me aos usos de minha terra, e há nela muita gente, mesmo, ou principalmente entre os senhores fidalgos, que costuma esquecer-se, do modo o mais completo, de quem fora seu pai: e se não, que responda uma das primeiras nações do mundo,[1] porque se entregou amarrada de pés e mãos a um *senhor* só e simplesmente por ele ser *sobrinho de seu tio.*

1. Refere-se à França do Segundo Império (1852-1870), um período de prosperidade material e de desenvolvimento da indústria e do comércio, sob Napoleão III, sobrinho de Napoleão Bonaparte. (N. da E.)

Aceitem-me pois tal qual sou, *sobrinho de meu tio,* e nada mais: e nem preciso, nem desejo ser outra coisa.

Aos vinte anos de minha idade parti para a Europa, a fim de completar os meus estudos (à custa de meu tio, já se sabe). Estudei com efeito muito em paris, onde assentei a fateixa[2] : oh! Sim, estudei muito! Passei pelos *boulevards;* fui aos teatros; apaixonei-me loucamente por vinte *grisettes;* tive dez ou doze primeiros amores: por me faltar o tempo não pude ver uma só biblioteca; por me acordar sempre tarde nunca frequentei aula alguma; e no fim de cinco anos dei um pulo à Alemanha, arranjei uma carta de doutor (palavra de honra que ainda não tive a curiosidade de examinar em que espécie de ciência), e voltei para este nosso Brasil, apresentando-me a meu tio logo no primeiro instante com as mais irrecusáveis provas do meu aproveitamento, isto é, vestido no rigor da moda, falando uma algaravia, que é metade francês e metade português, e ostentando sobretudo por cima do meu lábio superior um bigodinho insidioso, por baixo do meu lábio inferior uma pera fascinadora, e para complemento desses encantos, um charuto aromático preso de contínuo entre os lábios, perfumando a pêra e o bigode.

Meu tio ficou quase doido de alegria com a minha chegada: abraçou-me, deu-me beijos, chorou, ria-se, e fez-me trezentas perguntas, que eu muito naturalmente satisfiz com trezentas mentiras: fiquei um mês em companhia do velho para matar-lhe as saudades.

Meu tio, pelo que posso julgar, é um homem que sabe muito, e que fala pouco: nunca foi eleito deputado, por ter essas duas terríveis qualidades. Felizmente eu sou o avesso do bom velho; não sei coisa alguma nesta vida, e falo mais do que uma velha metida a literata: está visto que, se eu já tivesse quarenta anos, entrava necessariamente em alguma lista tríplice para senador.

Passou enfim o mês consagrado a matar as saudades de meu tio, e em uma tarde, em que eu me achava à janela do meu quarto saboreando um primoroso *havana da Bahia*, e lembrando-me da minha boa vida de Paris, entrou o velho e veio sentar-se defronte de mim.

— Adivinho em que estavas pensando, sobrinho — me disse ele.

— Pois em que, meu tio?... — perguntei.

2. Fateixa: gancho ou arpão com que se tiram objetos do fundo da água; espécie de âncora para fundear barcos. Assentar a fateixa; firmar-se em determinado lugar, para dele tirar o máximo de vantagens possível. (N. da E.)

— Pensavas na vida que deves seguir.

Confesso que até aquela data nunca me havia ocupado um só instante de semelhante bagatela: entretanto arranjei, como pude, um certo ar de melancolia, e respondi:

— É verdade... é verdade... era isso mesmo.

— Ora vejamos — tomou-me o velho: — que é que pretendes ser?...

— Tenho assentado que devo continuar a ser sempre o sobrinho de meu tio.

Lágrimas de ternura arrasaram os olhos do pobre homem!

— Mas além de seres meu sobrinho, não podes deixar de te ocupar de alguma coisa — disse-me ele.

— Se em suma isso for indispensável...

— Sem dúvida; consulta pois as tuas disposições, e decide.

Pensei... pensei... e pensei...

— Decidiste?

— Sim senhor, e irrevogavelmente.

— O que queres ser então?...

— Político, meu tio.

Com efeito, do mesmo modo que sucede a todos os vadios de certa classe, a primeira ideia que me sorria, tinha sido a política!

— Mas olha que a política não é meio de vida — observou o velho.

— Engano, meu tio! A pátria deve pagar bem a quem quer fazer o enorme sacrifício de viver à custa dela.

— Bom: já vejo que estás adiantado na moral do século; julgaste porém preparado para entrar e aparecer na política?...

— Estou a par de todos os conhecimento humanos; cheguei há um mês de Paris.

— Melhor ainda: tens as duas principais qualidades que são indispensáveis ao homem que quer subir: és impostor, e atrevido.

— Obrigado, meu tio.

— Mas cumpre que estudes ainda.

— Convenho: estou pronto a voltar para França.

— Não; não é lá que deves estudar agora.

— Então onde?...

— Em um grande livro.

— Qual? ...

— No livro da tua terra.

— Diabo! Eu sabia que no Brasil havia inteligências descomunais, e homens enciclopédias; tinham-me, porém, asseverado que, dessas inteligências, umas eram engarrafadas, e outras capazes de tudo, de tudo, e de tudo, menos somente de fazer um livro!

— Não te falo dos livros que escrevem os homens, sobrinho: refiro-me ao livro que só se pode ler viajando e observando.

— Ah!

— Concordo pois com a tua sábia resolução: serás político; mas com a condição de fazeres o contrário do que fazem os grandes estadistas da nossa terra.

— Então, que é que eles fazem, e que é que eu devo fazer, meu tio?...

— Eles empregam no Brasil uma governação que aprendem nos livros da França e da Inglaterra; improvisam no mundo novo as instituições do mundo velho, algumas das quais têm tanta relação com as nossas circunstâncias, como um ovo com um espeto!

— E eu?...

— E tu estudarás o que convém ao teu país, no que se passa nele, e nos costumes do nosso povo.

— E portanto?...

— E portanto, já amanhã te hás de pôr a caminho.

— Misericórdia!... amanhã já?!

— Sem dúvida. O melhor político é aquele que acorda mais cedo. Irás viajar por tua terra: dar-te-ei para isso o meu cavalo ruço-queimado.

— Outra vez misericórdia, meu tio! O seu cavalo ruço-queimado é um ronceiro diabólico! Anda mais devagar do que as obras da nação.

— Por isso mesmo: quero que a tua viagem seja vagarosa e demorada, para que melhor observes.

Só a ideia de viajar no ruço-queimado de meu tio era capaz de desanimar ao mais teimoso e emperrado dos pretendentes políticos. O tal cavalo ruço-queimado é uma espécie de hipógrifo, que apenas gasta três horas para vencer uma légua: se ele tivesse existido no tempo dos antigos e sábios sacerdotes do Egito, andar um dia no ruço-queimado de meu tio seria a última prova imposta àqueles que quisessem ser admitidos no sapientíssimo grêmio, e penetrar os recônditos mistérios.

Asneira e soleníssima asneira de meu tio! Que maldita escola política concebeu ele! Pois deveras será necessário estudar nos livros dos homens, ou ainda mesmo no da experiência, para um *moço de esperanças,* como eu, ou qualquer outro tornar-se apto para ser deputado, presidente de província, ou ministro de estado?... Eu entendo que não. Nos bailes, nos teatros, nas visitas e nos cumprimentos é que se demonstram os futuros estadistas: vale mais uma carta de um compadre ou sócio de ministro, mais ainda a recomendação da Exma. Quarentona com quem dançamos, e passeamos no baile, do que um diploma da mais célebre academia, e as provas as mais evidentes de uma inteligência superior. O patronato é a placenta da sabedoria, e a medida do mérito: tomara eu ser afilhado de algum bom padrinho, que verão como fico imediatamente sábio, e até mesmo benemérito da pátria!

Mas, de que serve a filosofia, quando se tem por diante um homem teimoso e enfezado, como meu tio?... Eu estava desesperado; demonstrei com toda força da lógica a inconveniência da viagem, e a incapacidade do cavalo ruço-queimado, tudo foi em vão: o velho embirrou.

— Hás de ir — exclamou ele, — e amanhã sem falta.

— Meu tio, aquele cavalo não merece a minha confiança; não lhe posso dar o meu voto.

— Que me importa!

— Condena-me, portanto, a uma viagem monótona e aborrecida!

— Quero que estudes.

— Não saberei ler, nem entender uma só palavra do seu livro.

— Dar-te-ei uma intérprete, que te ensinará a compreendê-lo.

— Meu tio, *uma* há de concordar por força com *um* substantivo feminino; veja bem o que diz!

— Repito o que disse: *uma* intérprete.

— E quem é ela?...

— A mais bela e respeitável senhora!

— O que é que está dizendo, tio do coração?...

— Falo sério.

— A mais bela?!!! E quantos anos tem essa incomparável senhora?...

— Trinta.

— Trinta?! Perdoe, meu tio; mas, deveras, ela é bonita?...

— Adorável...

— E há de viajar comigo?...

— A teu lado.

— Olhe que isso tem seus perigos: suponhamos que eu me apaixone...

— Estimarei muito, e que lhe sejas *fiel*.

— Por que, meu tio?...

— Porque serias o primeiro que lhe conservasse *fidelidade*.

— Então ela?...

— Já recebeu juramentos de amor e fidelidade sem conta, e nem por isso é menos desamada e atraiçoada.

— Pobre moça! Já se vê que deve ter sofrido muito! Espanta-me, porém, nunca ter ouvido falar a respeito dela.

— Pois o seu nome anda na boca de todos.

— E onde mora essa beleza?...

— Num túmulo.

— Pior está essa!... então ela vive...

— Não, está morta.

— Morta, meu tio?

— E nunca viveu.

— E vossa mercê quer que eu viaje com uma defunta?

— É verdade.

— Isto é uma *charada* indecifrável!

— Amanhã a decifrarás: apronta-te que, antes de montar a cavalo, receberás em teu seio a tua companheira de viagem.

— No meu seio? ... uma defunta?...

Meu tio não me deu resposta; sorriu-se tristemente, voltou-me as costas, e foi-se.

Fiquei fora de mim, e não dormi toda a noite: como sei bem que espécie de homem é meu tio, tratei de arranjar a minha mala de viagem; porque, por fás ou por nefas, estava decidido que eu partiria na manhã seguinte.

Ao romper da aurora, veio logo o velho chamar-me; almoçamos juntos, e logo depois recebi de suas mãos uma bolsa bem recheada, e um enorme cartapácio, que ele chamava — *sua Carteira* — e onde eu deveria escrever as minhas impressões de viagem.

— Agora, vem cá — disse-me com ar grave.

Lembrei-me da formosa defunta; confesso que a curiosidade começava a transpirar-me até pela ponta do nariz.

— Onde vamos, meu tio?... — perguntei.

— Vou confiar-te a tua bela companheira de viagem.

— Qual?... a defunta?...

— Sim, vem comigo.

Saímos de casa.

À porta estava já selado e pronto para a partida o terrível cavalo ruço-queimado; ah! Maldito! No rápido olhar que de passagem lhe lancei, contei-lhe um por um todos os ossos, e o diabo nem por isso estava magro: vejam só que organização de animal!

Acompanhando meu tio, entrei com ele no seu jardim, e dirigindo-nos ambos a um bosquezinho de ciprestes e de árvores da independência, um pouco enfezadas e tristes, descobri, por entre alguns pés de perpétuas roxas, um túmulo extremamente pequeno, que teria, quando muito, um palmo de comprido, quatro polegadas de largo.

— Eis aqui! — disse meu tio suspirando.

— Pois é isto?... — perguntei admirado.

— Sim, é isto mesmo.

— E a moça, meu tio?

— Está aí dentro encerrada.

Eu me sentia cada vez mais curioso e surpreso.

— Dize, o que vês sobrinho?

— Vejo sobre este túmulo uma pintura rude, que representa uma lindíssima donzela escorregando de um berço para uma cova: é célebre!... a desgraçada ainda está com metade do corpo no berço, e já tem os pés metidos dentro da cova!

— É isso mesmo — tornou o velho, suspirando outra vez.

— Então, meu tio, esta senhora, que passou logo do berço para o túmulo, já nasceu moça feita?...

— É verdade.

— Cada vez compreendo menos!...

— Lê o seu epitáfio.

Li o epitáfio: continha apenas cinco palavras: era o seguinte:

"AQUI JAZ QUEM NUNCA VIVEU."

— Agora, meu sobrinho, abre esse túmulo, abre os caixões que encontrares, e recebe em teu seio a santa mártir que dentro estiver encerrada.

— Meu tio, aqui dentro não pode estar senão uma boneca.

— Abre, sacrílego! — bradou o velho com voz forte e com aspecto ameaçador.

Abri o túmulo, e encontrei primeiro um caixãozinho de ouro; abri também este, e encontrei um outro caixãozinho de prata; abri ainda este, finalmente, envolvido em uma espécie de mortalha de veludo verde e amarelo, vi um pequenino livro, em cuja primeira página li o seguinte título:

CONSTITUIÇÃO DO IMPÉRIO DO BRASIL
25 DE MARÇO DE 1824.
TYPOGRAPHIA DE SEIGNOT-PLANCHER.

Olhei para meu tio: o nobre velho tinha os olhos cheios de lágrimas. Depois de um curto silêncio, disse-me:

— Eis aí, pois, a santa mártir, meu sobrinho: quando ela nasceu, um povo inteiro saudou-a, como a fonte inesgotável de toda sua felicidade; como o elemento poderoso de sua grandeza futura; saudou-a com o entusiasmo e a fé com que os hebreus receberam as doze Tábuas da Lei: pobre mártir! Não a deixaram nunca fazer o bem que pode: apunhalaram-na, apunhalam-na ainda hoje todos os dias, e entretanto cobrem-se com o seu nome, e fingem amá-la, os mesmo sacrílegos que a desrespeitam, que a ferem, que a pisam aos pés!...

Meu tio respirou um momento, e depois continuou:

— Ei-la aí; eu a deposito em tuas mãos; vai e viaja com ela; observa o que se passa em nossa terra, e compara o que observares com o que ela te disser em seus sábios preceitos: escreve tudo; porque quando a *Carteira de teu tio* estiver cheia das tuas impressões de viagem, e enfim voltares a ter comigo, terás já aprendido a grande verdade, a única tábua de salvação do Estado, o remédio santo e exclusivo para curar todos os nossos sofrimentos políticos; isto é, terás reconhecido por experiência que a Constituição nunca foi e é ainda hoje executada; e que, quando o for, o Brasil será feliz e apreciará devidamente e mais que até agora a sua bela monarquia.

Não tive nada que responder a meu tio: voltamos ambos para casa, e fazendo as nossas últimas despedidas, e tendo guardado cuidadosamente no seio a Constituição do Império, minha adorável companheira de viagem, dispus-me a partir, levando-a, como um talismã sagrado, bem ao pé do meu coração.

Tomei a bênção a meu tio, o qual, abraçando-me, disse quase chorando de saudade:

—Vai, sobrinho, toma sentido em ti, e no que vires; sobretudo, não escrevas parvoíces na *Carteira de teu tio*; estimo que sejas o avesso de todos os viajantes, isto é, que não pregues mentiras.

— Farei por isso, meu tio.

E já eu estava com o pé no estribo, quando o bom do velho me tornou:

— Oh, espera, leva mais isto.

Voltei os olhos e vi nas mãos de meu tio alguns outros pequenos livrinhos no mesmo formato da Constituição, que eu já tinha comigo.

— Pois ainda mais?

— Sim, são uns filhinhos da bela moça que levas contigo; alguns são muito mal-criados, outros, verdadeiros inimigos de sua mãe, achando-se com ela em evidente contradição, mas, enfim, são leis do Império, e é preciso respeitá-las; leva-os em tua companhia, e quando tiveres necessidade, consulta com eles.

Recebi os livrinhos: eram os nossos códigos, a lei de eleições, a da guarda nacional, e algumas outras principais da nossa coleção de leis; arranjei este novo presente dentro da minha mala, e disse adeus a meu tio.

— Boa viagem! — exclamou o velho.

— Duvido muito, senhor! — respondi eu, enterrando inutilmente as esporas no ventre do impassível ruço-queimado.

Finalmente, parti sem saber para onde; perdi de vista a casa de meu tio, e aos menos por desenfado, pretendo escrever tudo quanto me parecer curioso ou digno de menção na extravagante viagem que vou fazer.

E porque não há livro sem título, darei ao que sou obrigado a escrever, o que melhor lhe compete; chamar-se-á, pois,

A CARTEIRA DE MEU TIO.

# CAPÍTULO I

Em que se prova (além de muita coisa, que quem lê saberá), que o cavalo de meu tio é incompatível com algumas estradas provinciais do Rio de Janeiro, e quase que se encontra um grande pensamento político chafurdado em um lamarão.

Sei muito bem que, segundo o uso de todos meus colegas viajantes, e conforme os conselhos da boa razão, era do meu dever começar a importantíssima história da viagem, que já estou fazendo, pela determinação do ponto de onde parti; mas a casa de meu respeitável tio é uma espécie de velho castelo encantado, cuja situação geográfica não me é possível assinalar precisamente: eu podia sem dificuldade declarar que ela demora aos tantos graus, minutos e segundos de longitude tal, e tantos e quantos de latitude, entretanto, procedendo assim, não faria mais do que pregar uma tremenda peça aos meus queridos leitores: não desconheço que as narrações de todos os meus colegas viajantes, e principalmente as daqueles que têm andado pela nossa boa terra, contêm mais patranhas e mentiras do que os artigos de certos jornais políticos, e os programas de todos os ministérios; estou, porém, decidido de pedra e cal a seguir os conselhos de meu tio, escrevendo, na *Carteira* que ele me confiou, verdades e só verdades.

Contentem-se, pois, os meus leitores com saber que eu parti da casa de meu tio, e que essa casa existe *por ora* dentro dos limites da província do Rio de Janeiro: digo *por ora,* porque sou um homem de consumada prudência, e não sei se mais dia menos dia passará pela cabeça das duas conquistadoras vizinhas tomar para si, e muito honradamente, a casa de meu tio: o caso não seria de todo novo, nem de todo velho; novo não, porque lá pelas bandas do sul com uma só unhada arrancaram-nos um *bananal* inteiro; e velho também não, porque agora mesmo estamos correndo o risco de ver efetuar-se uma tratadazinha de igual natureza lá pelas bandas... *et cetera* e tal... vamos adiante[3].

3. O autor alude aos limites da província do Rio de Janeiro com as de São Paulo e Minas Gerais. (N. da 3ª ed.)

As primeiras duas horas da minha viagem pertenceram exclusivamente ao domínio das reflexões sobre as circunstâncias em que me achava, e sobre o que me cumpria fazer. Larguei a rédea no pescoço do ruço-queimado: abri o paletó, e tirei do bolso do peito... o quê?... adivinhem lá.

— A sua companheira de viagem, a Constituição do Império — pensarão alguns.

Pois não, senhores: o que tirei do bolso, e consultei antes de tudo, foi a bolsa que meu tio me dera ao despedir-se: eu sigo sempre as lições dos grandes mestres: a Constituição contém letras mortas, e a bolsa contém letras vivas, e portanto, quando se trata da *bolsa*, que é negócio sério, põe-se de lado não só a Constituição, como todas as leis do Império, que são coisas de pouco mais ou menos. Contei o dinheiro, e achei seiscentos mil réis justinhos!

— Bravo! — exclamei entusiasmado; — bravíssimo! Exatamente o subsídio mensal de um membro da *temporária*! Oh, que prazer não dará o fazer leis em cima da coxa, quando para isso se recebe seiscentos mil réis por mês!

E nem mesmo tanto exige hoje em dia dos seus deputados a pátria ou o governo, que é a mesma coisa; antigamente os eleitos do povo tinham seu trabalho; o povo os elegia, e eles preparavam leis para o povo: eram parvoíces do *tempo do onça;* agora aperfeiçoou-se a geringonça: o governo, que ama o povo, e que não o quer fatigar por ninharias, nomeia os deputados em lugar dele; e também para não maçar a paciência dos seus escolhidos representantes, arranja as leis lá consigo, e se contenta que, a troco dos seiscentos mil réis, o deputado esgoele de vez em quando o seu *apoiado*! quando fala um ministro, e de vez em quando ponha em ação *os grandes glúteos,* quando chega o momento da votação.

Isto é que é progresso! O parlamentarismo é uma peste pior que a febre amarela; era preciso acabar com ele... e o bicho está por um triz a dar com os ossos em pantana![4] É verdade que às vezes ainda aparece algum teimoso diabo que fala em Constituição, e ralha com os ministros; mas é uma raridade que não vale a pena, e que não embaraça a ninguém: contra a inteligência do parlador há a firmeza com que se põe de pé na ocasião precisa a coluna cerrada dos *independentes*: mais uma prova da perfeição humana! Os grandes glúteos, que são os músculos menos

4. *Pantana:* dissipação de haveres; ruína. Dar com os ossos em pantana: arruinar-se. (N. da E.)

decentes do corpo do homem, triunfam mil vezes da inteligência, que é um sopro divino!... e digam lá que não vai o Brasil à vela!...

Assim que tive a certeza de que estava com seiscentos mil réis na algibeira, veio-me logo a ideia de partir para a corte, aboletar-me ali em algum hotel famoso, divertir-me um mês nos bailes, nos teatros e nos passeios, passar, enfim, vida regalada, e improvisar nas horas vagas duas mil mentiras, com que pudesse encher a *Carteira de meu tio.*

Esta pouca vergonha não teria nada de original, e não podia espantar a ninguém: alguns dos meus colegas viajantes, e principalmente os franceses, que são incomparáveis nesta, como em muitas outras espécies de charlatanismo, já têm feito o mesmo que eu estive quase não quase a praticar: uns sem sair do *Pharoux* já têm passeado por Minas, Goiás e Mato Grosso, e milagrosamente escapado de serem lambidos pelos bugres e pelas onças; outros, depois de devorar um lauto jantar, e de escorrupichar algumas garrafas do *bordeaux* e de *champagne,* juram ter no mesmo dia e à mesma hora estado a ponto de morrer de febre e de sede nos campos de São Paulo, onde os *caipiras* negam pão e água aos estrangeiros; estas inocentes mentiras tiram um imenso trabalho à gente, e é até um belo meio de apurar a imaginação: os tais viajantes franceses são pela maior parte homens de mão cheia! consciência até ali!...

Oh! a mentira! a mentira é um vasto e longo capote, que serve para esconder a preguiça, o erro, e toda a qualidade de traficância; a mentira é como a orquestra do nosso teatro italiano, que com seus *cheios, fortes, e fortíssimos e arranjos* oportunos encobre as desafinações e as misérias artísticas das cantarinas e cantores de *cartello,* que nos vêm da Europa ganhar dezenas e dezenas de contos de réis por ano.

Se não fosse a mentira, como é que um ministro de estado poderia explicar e defender muitos de seus atos na presença do parlamento?... e como é que o político astuto e ambicioso havia de subir ao poder, enganando aos papalvos que lhe servem de escada?...

Se não fosse a mentira, como se arranjariam certos generais para dar conta das batalhas que perdem?

Como é que os estudantes lograriam alcançar um aumento de mesada, ou um *crédito suplementar* dos pais menos condescendentes e cegos, se não fosse a mentira?...

Como é que os alfaiates ficariam às boas com os fregueses, a quem faltam com a casaca no dia prometido?...

Se não fosse a mentira, como se sustentariam as facções políticas?... como viveria a imprensa diária?... como se haveriam as direções e os diretores de teatros?... como fariam as moças pazes com os seus namorados?... como os advogados teriam causas de que tratar, e os escrivães custas que cobrar?...

A mentira esconde-se por detrás dos reposteiros de todas as secretarias de estado, dentro da manga do frade, no acolchoado da casaca do taful, nos postiços da moça casquilha, no carmim das faces da matrona desbotada, na cabeleira do velho careca, nos atestados de muitos médicos, em todos os diplomas eleitorais, nos protestos de todos os atores, nas declarações dos candidatos às deputações, nos títulos de nobreza de todos os fidalgos, no pincel dos pintores, na pena dos romancistas, no capelo dos bacharéis e doutores, nas lágrimas da viúvas, nos sorrisos das donzelas, nas cortesias dos diplomatas, nas promessas dos ministros de estado, nos desenganos de todas as mulheres, nas palavras dos vivos e nos epitáfios dos mortos!

Oh! certamente, a mentira é uma grande verdade da vida humana! E, digam lá o que quiserem, a mentira tem o seu altar e o seu culto em todas as nações e debaixo de todos os tetos: até já conta uma sociedade que a venera, e exercita os seus ditames; não quero dizer onde, para não brigar com amigos, que me obsequiaram muito, quando cheguei da Europa, e apareci no Rio de Janeiro, como um homem novo.[5]

A mentira é como o sol, cujos raios penetram em toda parte: o único lugar em que ela não entra, é no céu. No mundo, não há casa em que seja hóspede nova, e do mesmo modo que facilmente se introduz nas cabanas, penetra também nos palácios reais, servindo-lhe ali de porta a excelentíssima boca dos conselheiros, ou trepando pelos bordados das fardas dos criados de galão de ouro.

Mas eu já disse que por ora não sou completamente digno do século em que vivo: porque ainda me resta um átomo de consciência; abandonei portanto o pensamento heroico de ir gastar os meus seiscentos mil réis na corte, engolfando-me nos seus prazeres, e resolvi-me a executar à risca a vontade de meu sábio e respeitável tio.

Caindo das nuvens de minhas reflexões, achei-me na terra, montado no terrível ruço-queimado, que caminhava de tão má vontade, como um jurado para o nobre e alto tribunal, de que é membro, pela graça da sorte!

Maldito animal! Há quem diga que os cavalos *mouros* são dos que provam pior: confesso que em minha ignorância adotei esse princípio

5. Refere-se à sociedade Petalógica, que diariamente se reunia em uma casa da Praça da construção. (N. da 3ª ed.)

até hoje de manhã; mas a experiência de duas horas tem sido suficiente para me convencer de que não pode haver ronceiro que iguale a um *ruço*, e principalmente *ruço-queimado!* ... O cavalo de meu tio é uma preguiça-monstro com cascos nos pés, crinas no pescoço e cabeça de três palmos do focinho às orelhas: é cavalinho que, se não anda para trás como o caranguejo, está pelo menos no caso da política do nosso país, pois que, suba quem subir, está sempre no mesmo lugar, ou não sai de um círculo vicioso. Ah! que este cavalo há de gastar-me toda a paciência! E falam dos cavalos *mouros*! Não há nada pior do que um *ruço* e ainda mais *queimado*! oh! *queimados* sejam todos os *ruços*: eu prefiro os *mouros*.

Mas o homem deve tirar partido de todas as circunstâncias em que estiver colocado; o gênio brilha em toda a parte e em todos os casos; ora, não há dúvida alguma, eu sou um homem de portentoso gênio, e portanto cumpre que me aproveite deste cavalo mesmo, tal qual é, para demonstrar a superioridade do meu talento.

Infame ruço-queimado! Juro por meu respeitável tio que hei de imortalizar-te.

Que o Tasso imortalizasse Eleonora, que Petrarca imortalizasse a sua Laura, Gonzaga a sua Marília, Byron suas trinta mil namoradas (que tal bichinho que era este poeta inglês!); que Garrett imortalizasse os olhos pretos, e o nosso Gonçalves Dias uns olhos verdes, que Luís de Camões imortalizasse o terrível Adamastor, e o nosso Porto Alegre o soberbo Corcovado; não é coisa que espante, nem que sirva para se aquilatar devidamente o gênio de tais escritores; porque todos esses objetos por eles decantados eram já de si mesmos ou formosos ou sublimes, e fáceis por isso de se levar à imortalidade.

O que na verdade assombra é ver imortalizar a fumaça de uma candeia e o pé de uma laranja, como o fez aquele mesmo Gonzaga; ou as harpias, como Virgílio, ou uma escada, como Garção; ou um perum, como Nicolau Tolentino; e enfim, muitas outras coisas feias, como muita gente de bom gosto.

E no que diz respeito aos cavalos, Ariosto não meteu nenhuma lança em África perpetuando a memória do ginete de Orlando, nem do palafrém de Angélica, nem dos próprios hipogrifos: cá para mim mais habilidade teve Homero mandando à posteridade o cavalo de Troia, que apesar de sua fama não passou de um cavalo de pau; e maior esforço de gênio foi ainda preciso a Alexandre Dumas para eternizar o cavalo de d'Artagnan, a Lesage para levar ao galarim da fama a ronceira mula do tio Gil Peres; e finalmente a Cervantes para tornar imorríveis o Rocinante de D. Quixote, o burro de Sancho Pança.

Isto, sim, é que é grande, assombroso, e digno de um gênio, como o meu! e portanto, não há mais que hesitar, imortalizarei também o estacionário cavalo de meu tio!

Vou descrever este importante animal, mas, bem entendido, há de ser em prosa, primeiramente, porque abomino a poesia, e dou ao diabo os poetas; e em segundo lugar, porque, a despeito de todo o meu desmarcado gênio, este miserável cavalo não seria capaz de me inspirar nem mesmo um verso de pé quebrado!

O ruço-queimado tem de comprimento uma vara, da raiz da cauda até a charneira, e outra vara da charneira até a parte ântero-superior da cabeça; já se vê, portanto, que em relação ao pescoço, apresenta suas semelhanças com um ganso; na altura não é lá essas coisas, chega apenas a vara e terça: meu tio, que é homem da marca-de-Judas,[6] usava de um tamborete para ganhar o estribo, quando queria sair a cavalo no seu impagável ruço-queimado. A cauda deste chibante animal quase inteiramente despelada faz lembrar a do carneiro que acaba de despir a lã; as ancas, sempre mais altas que a cabeça, dão-lhe o aspecto de uma ladeira pouco íngreme; os ossos dos quadris, descarnados e salientes, figuram as pontas de duas espingardas ensarilhadas; logo depois vêm as costelas, que se podem contar uma por uma, e abaixo delas demonstra-se uma barriga enorme e inchada, como o bojo de uma pipa! Sustentam esta pesada massa duas pernas e dois braços finos, cabeludos e ornados aqui e ali de tumores de diversas qualidades, tendo os machinhos cobertos por bastos e compridos pêlos; os cascos são grandes, esparramados, gretados e tortos, como os pés de um velho negro cambaio; o peito é fino, e descarnado; o pescoço sobre o qual caem longas crinas duras, como as sedas de um javali, é extenso, esguio, e abatido; as orelhas caem como dois alforjes aos lados da cabeça, que é enorme; os olhos fundos, tristes e lacrimosos parecem-se com os de um boi de carro; e sobre as órbitas abrem-se dois buracos de meter medo; as ventas são murchas, como odres vazios; e o beiço inferior pende sempre caído, como uma meia sem liga calçada em uma perna fina.

Tal é o bicho, quanto ao seu aspecto físico.

Em relação a outros dotes que possui, o ruço-queimado é ainda não menos extraordinário: principia logo por ser um animal de constância inabalável: tem um só andar, que não é passo, nem marcha, nem trote:

6. Ser marca-de-Judas: ser pessoa demasiado pequena. (N. da E.)

é um movimento inexplicável, um tiquetique, que vascoleja os intestinos do cavaleiro, e que nunca se torna nem mais vivo nem mais moderado; também é cavalo que dispensa chicote e espora, porque quer o castiguem, quer não, anda sempre do mesmo modo; é um animal de constância inimitável.

Silencioso e pacato, rinchar é coisa que nunca soube; dar coice é coisa que nunca fez; quanto ao mais, acomoda-se a todas as circunstâncias; come tudo, desde o milho e o capim fresco até os espinhos e urtiga; se não me engano, apanhei-o uma vez comendo terra na estrebaria: é um glutão sem segundo! Se não fosse cavalo, podia ser jornalista da polícia.

Paro aqui por agora: no decurso da viagem tornarei, e muitas vezes, a me ocupar do cavalo de meu tio, já que lhe prometi a imortalidade.

Oh! bem diz o antigo anexim que *devagar se vai ao longe:* saí da casa de meu tio às seis horas da manhã, e ao meio-dia já tinha vencido não menos de duas léguas!...

Entretanto, é preciso confessar; ainda que eu viesse montado no mais veloz e ardente cavalo árabe, não me teria adiantado muito mais: a estrada era cheia de socavões, atoleiros e precipícios, e o famoso ruço-queimado fez verdadeiros milagres de ginástica para não estender-se comigo a fio comprido no seio da mãe comum, como o antigo herói romano.

Ficou, em consequência, para mim demonstrado que o presidente da província não tinha amigo, nem compadre, a quem visitasse uma vez ou outra, ali por aqueles lugares: um passeio, ou viagem do presidente da província é, no meu entender, o que melhor esclarece a urgência do conserto de uma estrada: enquanto as tropas carregadas dos fazendeiros e lavradores se estropeiam no caminho, e algumas bestas morrem atoladas na lama, ainda se pode sofrer o mal; mas dar um solavanco a carruagem de S. Exa.!... misericórdia, ficava a pátria em perigo!...

Pela volta de uma hora da tarde cheguei a um lugar da estrada, onde havia uma *venda*, e logo perto uma casa, da qual saiu um machacaz, que se dirigiu a mim, e estendeu-me a mão.

O ruço-queimado (inteligente animal!) parou diante do homem, que se aproximara e a quem perguntei, meio desconfiado, o que pretendia.

— Os oitenta réis — respondeu-me ele.

— Oitenta réis!... e de quê?...

— Pois o Sr. não sabe?... oitenta réis do tributo da barreira.

— Barreira? — exclamei entusiasmado, pagando imediatamente os quatro vinténs ao cobrador. — Barreira! tome lá, meu amigo, e creia que pago de todo o coração, porque estou seguro de que pela ninharia de quatro vinténs terei daqui por diante uma estrada transitável.

O cobrador retirou-se, dando uma risada, mas eu não fiz caso: estava então convencido de que quem paga o tributo da barreira de uma estrada, adquire o direito de achar estrada boa, a menos que o governo, que levanta a barreira, não queira passar por estelionatário: pobre tolo! Tinha-me esquecido de que em honra e glória desta instituição chamada barreira, que tem aproveitado a outras nações, e que na nossa se acha completamente desacreditada, pela incúria do governo, já houve quem escrevesse estes dois versinhos:

Porque, *Si vera est fama,*
Onde há barreiras, há lama.

Perdão, se me lembrei de citar um poeta; é o que acontece a quem viaja por algumas das estradas da província do Rio de Janeiro!

Reconheci bem depressa que o brejeiro do cobrador tivera razão de sobra para dar a sua risada: depois da barreira a estrada tornara-se ainda pior. Ah! se eu chegar a ser deputado, hei de propor que os presidentes da província do Rio de Janeiro sejam obrigados a viajar no cavalo de meu tio pelas nossas estradas quinze dias de alguns dos meses de chuva.

Finalmente estaquei defronte de um vasto e soberbo lamarão... Pareceu-me ver a negligência do governo da província dormindo o sono da indiferença em um leito de lamaçal, por baixo da crosta torrada pelo sol, que eu via cobrindo aquele tremendo atoleiro!

Eu já sentia uma fome de todos os diabos: que havia de fazer?... voltar?... de modo nenhum: sou um homem de coragem... Enterrei as esporas no ventre do ruço-queimado; o prudente animal hesitou, mas tantas esporadas eu lhe dei, que afinal atirou-se no *mare magnum!*

Ah! Apenas tinha o pobre cavalo dado a terceira passada, quando senti que ele se abismava até os peitos e eu até os joelhos naquele sorvedouro de lama! Não pude conter-me; soltei um viva estrepitoso ao governo da província!

— Atolado em regra!... — exclamou, rindo-se a não poder mais, um homem de botas que nesse momento parava o cavalo do outro lado do lamarão!

Confesso que dentro em mim dei um solene cavaco com aquele impertinente desconhecido, que assim tão sem-cerimônia zombava nas minhas barbas do triste caso que me sucedera! Mas entendendo que era prudente não me mostrar ressentido, fingi que também me ria, e respondi:

— Atolei-me, sim, meu caro; dou porém parabéns à minha fortuna; porque descobri neste lamarão um grande pensamento político!

— Um grande pensamento político dentro de um lamarão? Meu jovem viajante, apesar do ar com que o diz, a coisa não tem nada que admire; porque a política da nossa terra apresenta-se às vezes com tão mau cheiro, e os politicões fazedores de programas empregando sistemas, em que tanta gente se atola, que bem se pode dizer que suas ideias são miasmas, que exalados de um paul, infeccionam a nação; mas, se não leva a mal a minha curiosidade, diga-me: qual foi a descoberta que fez, e a que parece dar tanta importância?

— Enquanto este impagável ruço-queimado descansa e reúne todas as suas forças para arrancar-se dos grilhões de lama que o prendem, vou satisfazer a sua pergunta.

Dizendo isto, levantei as pernas, encruzei-as muito à minha vontade sobre o arção do selim, e falei pelo modo seguinte:

— Meu caro, sentindo-me enterrar até os joelhos neste inevitável atoleiro, compreendi que a tal instituição das assembleias provinciais é um traste de luxo, que para nada presta, e que de nada serve ao país; quando muito, convém unicamente a certos meninórios, que delas fazem escadas para subir à assembleia geral.

— Homem: mas por que pensa assim?...

— Ora! Tirei uma consequência, que o senhor pode também tirar, tomando como premissas a mim e ao meu cavalo enterrados neste lamarão. Assembleias provinciais, que não abrem, nem consertam estradas, que não cavam canais, que não levantam pontes, não valem decerto as despesas e os incômodos que se tem com elas; e o que se observa é que o povo se afoga nos rios, e se atola nas estradas; portanto, fora com tais assembleias provinciais!

— Chama-se a isto pagar o mal que não fez! —exclamou o homem das botas.

— Sou neste ponto o eco de muitos estadistas do país — respondi.

— Isso vejo eu, que não sou cego; os novos Saturnos querem devorar o próprio *filho*, e para desacreditá-lo, a fim de que a favor dele ninguém se lembre de querer quebrar uma lança, tratam de pô-lo pelas ruas da amargura, carregando-o de calúnias. Diga-me cá, meu amigo: que podem fazer as pobres assembleias provinciais, no que diz respeito ao ponto de que se queixa?... Nada mais do que isto: ordenar a construção das obras, e conceder para esse fim os fundos necessários; ora, as assembleias provinciais, de que o senhor tanto se está queixando, não se descuidam de cumprir com esse dever, e às vezes cumprem-no até demais; entretanto, além do poder que legisla, há o poder que executa; além da assembleia provincial, há o presidente da província: e o senhor sabe o que é um presidente de província?...

— Pelo menos tenho a vaidade de supor que sim.

— Meu caro, as coisas podem definir-se conforme elas são, ou conforme elas devem ser; eu prefiro sempre defini-las como elas são, e portanto entendo e digo que o presidente da província é uma autoridade encarregada de não executar as leis do Império, nem as da província que administra.

— Homem, esta agora é de arromba!

— Defini a coisa como ela é; quem quiser que defina como ela deve ser; mas tornemos à nossa questão. As assembleias provinciais mandam fazer obras, abrir e consertar estradas, levantar pontes, etc. A prova disso está nesses livros de letra morta, que têm o nome de Legislação Provincial; que acontece, porém?... o presidente da província ou não executa as disposições da assembleia, ou quando as executa o faz pelo modo por que o senhor está vendo neste lamarão!

— Logo?

— Logo as assembleias provinciais, assim mesmo como vão, fazem o que podem, e os presidentes de províncias nem ao menos fazem o que devem; mas os tais presidentes são politicões, ou criaturas dos politicões, e os deputados são filhos de uma instituição popular; por consequência, carreguem os deputados com as culpas dos presidentes: eis aí a verdade.

— Mas, em tal caso, por que não sabem os deputados tomar severas contas, censurar e responsabilizar os presidentes de província?...

— Ora... porque entre nós o *voto livre* exprime sempre, e seja como for, a vontade de quem domina; o povo vota sempre em quem governa, porque sabe que quando assim o não quer fazer, fica reduzido a cão leproso, que apanha e não tem quem lhe acuda; e portanto, os deputados provinciais são, em geral, escolhidos a dedo pelos presidentes de província.

— Por consequência, a *coisa* vai mal!

— Oh lá se vai! e queira Deus que não vá ainda pior! A nação anda muito incomodada, e os médicos, que tratam dela, são piores do que os curandeiros aqui da roça.

— E o remédio?...

— O remédio seria bem simples: bastava que cada um tratasse de si e não se metesse com a vida alheia.

— Como assim?

— É assim mesmo: bastava que o governo se ocupasse unicamente daquilo que lhe compete, e não se metesse com a vida do povo, envolvendo-se nas eleições, que são a pedra angular do sistema que nos rege; é endireitarem o carro para essa verdadeira estrada, que verão a boa viagem que faz! Com eleições livres os ministros tratam de andar direito, porque sabem que têm de dar contas às câmaras; os deputados procuram zelar os interesses públicos porque sabem que têm de dar contas ao povo; e o povo quase sempre vota bem, porque sabe que votando escolhe o juiz para sua demanda. O voto livre é a varinha de condão do sistema representativo; e em último caso eu prefiro o soco inglês das eleições das ilhas Britânicas às espadas e espingardas dos soldados e beleguins da polícia da nossa terra; mas isso não faz conta aos maganões, que se revezam no poleiro, pois podia acontecer que o maldito do povo mandasse às câmaras alguns diabinhos de mão furada, que fizessem tocar a retirada aos tutores obrigados do país: olhe que havia de ser uma festança ver os pais da pátria cedendo o lugar aos filhos do povo!...

— O senhor me está parecendo um pouco republicano!

— Olé! também é moda falar assim; hoje em dia quem não jura nas palavras dos ministros e de seus primeiros agentes, recebe logo o diploma de republicano; a monarquia se resume neles, trazem a monarquia na barriga, e aquele que lhes faz uma careta, fica logo revolucionário. Ainda bem que não há mais quem se engane com eles: a monarquia brasileira é bela como uma obra do céu, e não se pode por modo algum identificar com os tais maganões que, se os julgarmos por suas obras, devem ser feios como o pé de pato!

— A consequência, pois, de toda essa nossa conversa é que eu me enganei redondamente, quando supus ter encontrado neste lamarão um grande pensamento político: não é assim?

— Eu o creio.

— E pena, meu caro; porque bem quisera ter achado alguma coisa que me consolasse da contrariedade por que passei.

— Não se lastime, meu jovem viajante; se não deparou com o pensamento político que supôs, achou pelo menos outra coisa, que vale tanto como isso, no lamarão em que se acha atolado.

— Então, o quê?...

— O retrato do desleixo do governo da província.

Ainda bem.

Neste momento o ruço-queimado fez um esforço para sair da triste posição em que se achava; aproveitei o ímpeto brioso do prudente animal, e enterrando-lhe as esporas no ventre, consegui, a muito custo, fazê-lo sair do tremendo atoleiro.

# CAPÍTULO II

Como depois de se demonstrar que às vezes ideias muito feias se encapotam em frases e palavras muito bonitas, e que às vezes se perde quem deixa o atalho para seguir a estrada real, convém o homem das botas em dizer quem é, e metendo-se na política geral, conta uma história de porcos e de milho, que traz seu dente de coelho, e no fim dela se vê arder a casinha de um pobre, e logo adiante ouve-se um nenê, filho de um inspetor de quarteirão, lendo um artigo da Constituição do Império.

Apenas me vi são e salvo, fora do maldito atoleiro, soltei um grito de alegria; mas como neste mundo não pode haver gosto sem desgosto, que de perto o siga, logo depois me senti entristecer vendo-me todo enlameado; e, para satisfazer meu justo despeito, tornei a dar ao diabo a barreira, e quem tivera a lembrança de estabelecê-la.

— Então, que é isto?... — perguntou-me o homem das botas, que se conservava parado do outro lado do lamarão.

— Ora, é boa pergunta! — respondi. — Pois não vê o miserável estado em que ficaram as minhas calças e o meu paletó?

— Queixe-se de si, meu jovem viajante: atolou-se e não conseguiu passar o atoleiro, porque não soube ser destro, nem cauteloso.

— Vamos a melhor! A menos que o senhor voltasse para casa, e perdesse a viagem, como, supondo-se no meu caso, deixaria de se enterrar neste tremendo lamarão, como eu me enterrei?...

— Com destreza e cautela, meu caro, fazem-se milagres nesta vida, e milagres de ginástica muito principalmente: creia que, quando há *jeito* e faz conta passar *de um lado para outro,* passa-se mesmo através de um atoleiro com finos sapatos envernizados e meias de seda; verdade seja que sempre se fica com algum cheirinho do lamaçal; mas o viajante, a quem fez conta passar de um lado para outro depois das terras baixas em que andava, sobe as serras, e o ar delicioso das alturas o purifica.

— Não o entendo, meu amigo!... O senhor fala-me uma linguagem muito metafísica.

— Qual! Se não fosse o miserável cavalo em que o vejo montado, eu o faria passar muito limpamente cá para meu lado; aí mesmo por cima do atoleiro, mas visto que estas *passagens* são próprias somente para aqueles que estão a pé, vou-lhe ensinar um atalho por onde virá a ter comigo sem o menor incômodo. Olhe, ande umas quatro braças para trás, e tome por um atalho, que fica ao lado esquerdo... ao lado esquerdo, ouviu?... não se meta pelo do direito; lembre-se bem disto: nada de direito; o direito é atualmente um anacronismo.

Pelo sim, pelo não, aceitei o conselho do homem das botas: andei as quatro braças para trás, e entrando no atalho designado, contei achar-me bem depressa do outro lado do atoleiro e na estrada real; mas estava escrito que tudo nesse dia tinha de sair às avessas do que eu pensava!

Sempre entendi que um atalho é um caminho mais curto do que a estrada real; aquele, porém, em que eu acabava de entrar era vinte vezes mais comprido: estava no caso dos orçamentos de despesas do Império, em que os artigos aditivos são mais extensos do que todo o corpo da lei. O homem das botas chamava atalho ao mais evidente e dilatado desvio.

E, entretanto, pensando-se bem sobre o caso, reconhece-se que o homem das botas fez o que faz muita gente de gravata lavada: designou um objeto com o nome que pertence a outro absolutamente diverso; escondeu com a consoladora denominação de atalho a ideia antipática e maçante que revela a palavra desvio. Assim mesmo é que se deve fazer: a vida humana é uma burla mais ou menos prolongada, e o homem mais eminente, mais hábil, e mais digno de geral respeito é aquele que melhor e mais vezes engana os outros.

Quando se quer fazer admitir, ou pôr em ação um pensamento, ou um sistema, que convém aos nossos interesses, embora seja nocivo aos outros, faz-se a mesma coisa, disfarça-se o bicho dando-se-lhe um nome sonoro; adorna-se a falcatrua com uma palavra que soe bem aos ouvidos; pratica-se o mesmo que pratica a velha feia, enrugada, e que ainda querendo casar, esconde os cabelos brancos em uma touca de blonde, e cobre as rugas do pescoço com adereços de brilhantes; neste caso a touca e o adereço tomam o lugar da palavra: a velha é bicho, ou o casamento é falcatrua.

Se são capazes, digam que não é assim.

Pois seria a primeira vez que se encapotasse uma ideia reprovada e perniciosa com uma palavra sonora ou pomposa?... Ora! se só os homens de botas fizessem isso, meio mundo andaria de botas: *verbi gratia* — teriam andado de botas os tais fradecos da Inquisição que ao mesmo tempo que assavam em crepitantes fogueiras os pobres infelizes, que lhes caíam nas unhas, desenrolavam ante a multidão os estandartes do Santo Ofício, nos quais o povo lia a divisa *Justiça e Clemência!* Era uma demência que tinha o seu cheirinho de carne assada. Teriam andado também de botas os devotos de Robespierre,[7] que em 1793 saudavam as cabeças que caíam da guilhotina com o grito entusiástico de liberdade: era uma liberdade com cheiro de sarrabulho. E também de botas teriam andado aqueles embaixadores e politicões da Grécia, que traindo os mais nobres e sagrados sentimentos e deveres pelas dádivas, presentes, e promessas do rei de Macedônia, defendiam com calor e empenho a necessidade da *conciliação* com Filipe;[8] era uma conciliação que trazia almíscar de corrupção.

Seria um nunca acabar, se quiséssemos ir adiante: porque *clemência* de Inquisição, *liberdades* à Robespierre, e *conciliação* de políticos são falcatruas engraçadas, muito comuns na história da humanidade, e que fazem muita honra aos seus inventores e repetidores.

De tudo isto se conclui que a coisa não está nas botas: disfarçar uma ação, que os tolos e papalvos consideram imoral ou indigna, dando-lhe um nome que só pertence a uma ideia generosa e pura, já eu o disse acima, e agora *dou capo*, é um fato que se vê reproduzido todos os dias, não somente pelos homens de botas, mas ainda por aqueles que calçam sapatinhos com fivela, meias de seda e calções, como os cônegos e os antigos cortesãos; pelos que andam de beca ou garnacha, como os desembargadores; pelos que trazem chapéu armado na cabeça, dragonas nos ombros, espada à cinta, e esporas de ouro nos botins, como os generais; e enfim (para ir de uma vez ao exemplo mais frisante) por aqueles que trajam calças com galão de ouro e fardas de ricos bordados do mesmo metal; e que têm sobretudo carradas de razão, sempre que dizem alguma coisa, e carradas de juízo sempre que estão calçados; e que sobretudo nunca têm atenção para ouvir queixosos, nem palavra

7. Robespierre, Maximilen de (1758-1794): advogado e político francês, membro da Convenção, chefe do grupo da Montanha, provocou a queda dos girondinos (1793). Membro do Comitê de Salvação Pública, mandou eliminar Herbert, chefe da facção ultra-revolucionária, seus partidários e os indulgentes durante o Terror — período da Revolução Francesa por ele instaurado, compreendido entre a votação da Lei dos suspeitos (5 de setembro de 1793) e a queda de Robespierre, em 27 de julho de 1794. Pereceu no cadafalso. (N. da E.)

8. Filipe II (c. 382-336 a.C.): regente e depois rei da Macedônia. Dilatou seu domínio até a Trácia e, a seguir, começou a apoderar-se das cidades gregas da costa do mar Egeu. Os atenienses só se preocuparam com Filipe depois que ele tomou Elateia. A derrota ateniense em Queroneia pôs fim à independência da Grécia, que teve de aceitar o domínio macedônico. Filipe, que se tornara o chefe dos gregos, foi assassinado, sendo sucedido por seu filho, Alexandre o Grande. (N. da E.)

para cumprir promessas: acabei com uma descrição tão completa, que todo mundo adivinha que eu quero falar dos ministros de estado, vulgo, fazedores de programas.

É verdade, programas de ministros! Ora, haverá burla mais franca, usada e já conhecida do que o programa político de um ministro novo?... Onde se encontrará mais palavras *assim, cheias de fósforos*, mais palavras que escondem o contrário do que significam, do que nessas peças de falcatrua ministerial?... Suponhamos que eu tenho certeza de subir ao ministério amanhã: o que se passa em mim?... franqueza no caso; lá vai: já desde hoje me estou preparando para cair de unhas e dentes sobre os meus adversários; já de hoje estou resolvido a persegui-los, prendê-los, recrutá-los, espatifá-los, a fazer enfim o diabo a quatorze contra a tal súcia de oposicionistas, mas chega o dia de amanhã, vejo-me no poleiro, e apresento-me às câmaras; levanta-se lá um dos tais parlamentares, — e pergunta qual é o programa do novo ministério. Digam-me agora: eu havia de cair na corriola de patentear o meu programa oculto?... Pois não! Faço o que fizeram os meus antecessores; não digo senão o que me faz conta: ergo-me por minha vez, e exclamo: *"O nosso Programa se resume todo em uma só palavra: ei-la — tolerância!"* A chusma dos independentes, que já trazem requerimentos nos bolsos da casaca, e que já me deram terríveis atracações nas antessalas, brada a uma voz: apoiado!... bravo! muito bem!... e eu volto daí a pouco para a minha secretaria, e começo a executar o meu programa de tolerância, demitindo a uma boa dúzia de empregados públicos, que são em verdade excelentes e honrados servidores do Estado, e chefes de numerosas famílias; mas que tinham também o desaforo de não pensar como o ministro novo.

Verdade, verdade: a geringonça não é tal e qual?... Sim, façamos de conta ainda que amanhã serei ministro: segue-se daí que já em todo o dia e noite de hoje vou sentindo que a Constituição e as leis do Império incomodam-me tanto, como um sapatinho justo a um pé cambaio; a Constituição é o pesadelo, o trambolho, o peguilho de um ministro; as leis do Império são acanhadoras como soltas, ou maniotas, e incômodas como se fossem espinhos e carrapichos que se apegassem às excelentíssimas fardas; o primeiro pensamento, a meditação da primeira noite de um ministro novo devem dizer respeito exclusivamente à melhor maneira de dar férias à Constituição e sueto às leis do Império. Eu, igual aos outros (e o povo há de crer que sim; porque até agora quase todos têm sido iguais uns aos outros: é, como diz o vulgo, cara de um, focinho de outro!) pois bem: eu igual aos outros, juro aos meus afilhados, à minha ambição de dominar, ao meu espírito de vingança, e ao meu ceticismo político fazer tanto caso da Constituição, e das leis, como um patriota que conseguiu enfim ser senador, dos eleitores que votaram nele; passa porém a noite, chega o dia de amanhã, e com ele a hora do programa: eis-me no parlamento. — *Peço a palavra!... (movimento de curiosidade, profundo silêncio).* Levanto-me e falo: *Senhores! O ministério protesta que há de executar e fazer executar religiosamente a Constituição e as leis do Império.* Dito isto, meto-me no carro, e enquanto os pais da pátria ficam lá de boca aberta, venho eu mais que depressa assinar no primeiro aviso uma interpretação jurídica que me faz conta, e que atira com uma lei de pernas ao ar; e na primeira portaria uma disposição tão bem tomada, que dá um encontrão no *pacto fundamental*, que o põe logo fora dos *fundamentos*.

Verdade, verdade: a coisa não é assim?...

Fica, portanto, evidentemente provado que um programa ministerial é um agregado de palavras que servem para exprimir o contrário do que os ministros têm no pensamento, e pretendem fazer: ora, isto é muito bem feito, e assim mesmo é que deve ser; porque o povo é um toleirão, que gosta de aparências, e de fantasmagorias, e nunca se aproveita bastante das lições que lhe dá a experiência, que é uma mestra, cujas lições se pagam muito caro! É verdade que ainda fora do parlamento, e ainda depois de se tornarem notáveis pelos abusos que cometem, os ministros continuam sempre protestando o seu respeito e desvelado culto à Constituição e às leis; daí, porém, não se segue que eles não sejam os seus primeiros violadores. Também os grandes criminosos, que a sociedade condena com horror, vão frequentemente às igrejas, e lá rezam com tanta compunção, aparente ao menos, e batem nos peitos com tanta força, que mais parecem santos do que diabos. Todos os diabos são assim, sem exceção dos maus ministros de estado, que são excelentíssimos diabos.

Mas, como me arredei eu tanto da matéria principal, que até acabei por embrulhar-me em programas ministeriais?... Quanta coisa dita fora de propósito! está bem; não faz mal: façam de conta que sou deputado, e que o que acabo de dizer é um discurso sobre o *voto de graças*; vamos adiante.

Em que ponto me achava eu?... diabo! Perdi-me no dilúvio de minhas brilhantes ideias, como o mais atilado dos nossos legistas no pasmoso labirinto das leis do Império! E por falar em leis do Império, lembrarei de passagem que, segundo diz meu sábio tio, as câmaras e os ministérios da nossa terra, graças ao predomínio da magistratura, assemelham-se muito aos *porquinhos da Índia...* em fecundidade somente.

Mas... se bem me lembro, eu estava falando do *desvio*, que o homem das botas chamou *atalho*. Era isso mesmo.

E o tal famoso atalho é tão enfadonhamente comprido, que ainda não acabei de vencê-lo; mas enfim... lá descubro a estrada real, e o homem das botas, que me está esperando. Dentro em cinco minutos estou rente com ele: devo, entretanto, empregar estes cinco minutos em alguma observação filosófica: eu sou um filósofo de arromba, e não posso estar um só momento sem refletir sobre as coisas deste, e até mesmo do outro mundo: pareço-me neste ponto muito com certos sujeitos, que empregam todo o seu tempo, e *sacrificam* toda a sua vida, tratando de fazer o *bem da pátria*; a única diferença que há entre mim e eles, é que o tesouro público não me paga as minhas filosofias.

Meditemos, pois.

Diz um antigo anexim que *ninguém deve deixar a estrada real para seguir o atalho:* eis aqui, porém, um fato demonstrando, com a sua lógica de ferro, que às vezes convém até deixá-la por um *desvio*, quanto mais por um *atalho*! Isto é quanto às viagens físicas; porque no que diz respeito à viagem moral, que o homem faz através dos montes e vales e dos despenhadeiros e precipícios da vida humana, o anexim dos antigos torna-se mesmo uma sandice miserável.

Com efeito, quem enxergar somente uma polegada adiante do nariz, convencer-se-á logo ao primeiro intuito que a prudência e a sabedoria ensinam que na viagem da vida humana ganha sempre mais aquele que abandona a estrada real pelo desvio, ou ainda melhor *pelos desvios;* porque neste caso é evidente que a estrada real só se trilha com a prática severa da virtude, e quando o homem toma por guia de suas ações e por farol de seus passos a — consciência — tudo ficções inventadas por poetas, que é gentinha que anda sempre com a cabeça no mundo da lua; os desvios, pelo contrário, levam ao gozo de trinta mil prazeres o homem que por eles se dirige na vida, desprezando todas essas *nicotices* a que dão o nome de *honra, dedicação, incorruptibilidade* (e muitos outros palavrões, que enchem a boca e deixam vazia a barriga: asneirolas, em que todos falam, e de que poucos fazem caso!), e tendo somente em vista o interesse individual, como único móvel de todas as ações.

Se não basta este simples enunciado para tornar bem patente toda a falsidade do anexim, considerado em relação à moral, imagine cada um a vida que passa o homem pobre e honrado, e a compare depois com a vida que goza mais ou menos cedo o homem, que começou também pobre, mas que não crê na virtude, nem a pratica, e que se mostra sempre superior a todas essas *vãs considerações,* que, no dizer dos papalvos, são a base de toda a sociedade.

Aí temos um homem pobre, e honrado em toda a extensão da palavra! Segue à risca as leis de Deus, e obedece à dos homens, a mentira nunca nodoou seus lábios, nem lhe fez corar as faces; nunca um pensamento imoral lhe enegreceu a alma; e preferiria antes morrer de fome e de sede a viver na abundância, usurpando a fazenda alheia; trabalha noite e dia para dar pão a seus filhos; tem uma consciência pura, um coração cheio de honra, faz a seus semelhantes o bem que pode; em uma palavra, cumpre todos os deveres de um cristão, que tem fé, e todos os deveres de um cidadão, que ama a pátria. Mas... é pobre! pobre nasceu, vive pobre, e há de pobre acabar: que lhe faça muito bom proveito!

Quem faz caso deste pobre diabo, que andou sempre pela estrada real?... Quem *honra a sua honra*?... Quem o aprecia e distingue na sociedade dos homens?...

Se ele espirra, nem lhe dizem — *dominus tecum*![9]

Quando passa na rua, ninguém lhe cede a calçada, ainda que o vejam manquejando, porque é um *farroupilha de jaqueta*; e o carro do rico, mesmo rico sem honra, atira-lhe terra nos olhos, e lama no nariz!

Se vai falar a um ministro, nunca o acha em casa, e o correio o despede na escada.

Se faz alguma visita, causa receio de que vá pedir alguma coisa; e ainda que nada peça, se prolonga um pouco a visita, dizem-lhe nas costas: "*que maçada*!"

Quando requer o seu direito, torcem-lhe o nariz, se protesta e recalcitra, mandam-no para a cadeia.

Se serviu algum emprego, em que facilmente pudesse abusar, e assim fazer dinheiro, e preferiu ficar na sua honesta pobreza, e passa depois na rua com a casaca mostrando os cordões, não dizem: *lá vai um homem de bem;* apontam-no com o dedo dizendo em tom de mofa ou de piedade: *lá vai um tolo que não se soube aproveitar.*

Se rejeita um emprego de confiança para não tornar nem mesmo duvidosa sua firmeza política, os *saltimbancos* chamam-no *excêntrico ou burro emperreado.*

Se tem filhas, custa a casá-las, ou deixa-as ao desamparo, quando morre; se tem filhos, recrutam-nos: e ele que não tuja nem muja, porque filho de pobre é pelintra, e o único que deve ser recrutado.

9. "O Senhor esteja contigo." Antiga fórmula de saudação. (N. da E.)

Tem três direitos: ser guarda nacional, jurado, e votar nas eleições primárias; mas quando falta à ronda ou à parada, é o único que vai preso; quando não comparece no júri é multado sem remisão e se no dia da eleição vai à matriz, dão-lhe uma chapa para levar à urna sem ler: se ele hesita, oferecem-lhe dois mil réis pela consciência; se ele respinga, ameaçam-no; e se ainda assim não cede mandam-no prender daí a dias para indagações policiais!... e é muito bem feito: pateta insolente, por que não havia de aceitar os dois mil réis?... pois há consciência de pobre que valha mais de seis patacas e quatro vinténs?!

Almoça pão duro; janta feijão aguado; muitas vezes na hora da ceia faz cruzes na boca; e na cama dorme ao som de uma orquestra de mosquitos, terrível família de sopranos criada e sustentada na corte pela ilustríssima Câmara Municipal nos lamaçais higiênicos da cidade.

Se adoece, descontam-lhe o ordenado, ou tiram-lhe a gratificação (se é empregado público) e ainda em cima chamam-no vadio; se está de saúde, fazem-no adoecer de trabalho.

Se é músico, desafina; se é padre, não lhe encomendam sermões; se é pintor, borra; se é ator, não tem partido, e leva pateada; se é operário, chama-se *canalha*.

Por prêmio das virtudes que tem e dos serviços que presta, ganha um *hábito*: aquele com que se enterra.

Se não acaba em um hospital, morre em casa em uma esteira velha.

E quando morre, não deixa um amigo que lhe reze por alma, e acaba ao menos com esta certeza consoladora: não tem depois de morto poetas de certa ordem que lhe façam versos.

Ora, em uma sociedade que assim raciocina e pratica, o diabo que queira ser *pobre honrado*! Não cai nessa o sobrinho de meu tio, que é homem digno do século em que vive e intérprete fiel da atualidade!

Agora o quadro oposto.

Bem entendido: eu não trato aqui do homem honrado e rico, que teve desde o berço honra e riqueza, nem de muitos e muitos que, trabalhando incessantemente e ajudados sempre pela fortuna, conseguiram chegar à opulência sem o menor sacrifício da honestidade. Faço os meus cumprimentos a todos esses senhores; desejo-lhes uma saúde e cem anos de felicidades; mas ponham-se de largo, que o meu negócio agora não é com eles.

Homens de bem, ricos e pobres... à retaguarda: tratantes ricos — à frente!... Há povo como formiga!... Que multidão tem chegado à Califórnia trilhando pelos *desvios*!...

Ora pois, consideremos ao acaso um de tantos: seja aquele figurão que ali vai repotreado em um magnífico e soberbo carro.

Era há poucos anos um miserável diabo, que vivia de suas *agências*, e mais não disse; não tinha onde cair morto, e portanto ninguém fazia caso dele: mas não há nada como ter juízo!... o maganão atirou-se ao comércio, e foi de um salto ao apogeu da fortuna; eis o caso: primeiro abriu uma casa de secos, e *quebrou*; meteu-se logo nos *molhados*, e quebrou outra vez — excelente princípio! O quebrado ficou inteiro, e os credores com alguns pedaços de menos; depois, dinheiro a juros, três ou quatro por cento ao mês para servir aos amigos; um pouco mais aos indiferentes; duas dúzias de alicantinas[10] por ano, e o suor alheio nos cofres do espertalhão: uma terça deixada em testamento por um estranho, e arrancada aos *malvados* parentes do morto; aqui há anos atrás o comércio de carne humana, que era um negócio muito lícito, negócio molhado e seco ao mesmo tempo, porque se arranjava por mar e por terra, *terra marique*; vai senão quando, no fim de dez ou doze anos, o pobretão aparece milionário!

Mudam-se as cenas; dantes ninguém tirava o chapéu ao indigno tratante, olhavam-no todos com desprezo, era um bicho que causava tédio, além de mau, era pobre; mas, ó milagrosa regeneração! ó infalível poder do ouro! o antigo malandrim já é um homem de gravata lavada! banhou-se no Jordão da riqueza, e ficou limpo e puro de todas as passadas culpas!...

E por onde chegou ele ao cume das prosperidades? — pelos *desvios*: se tivesse vindo pela estrada real, estava na esteira velha.

É verdade que o tal bargante, para se enriquecer, fez a desgraça de muita gente: mas que tem isso?... não goza ele agora muito sossegadamente a sua imensa riqueza?...

Quebrou fraudulentamente, pregou calotes, ofendeu as leis de Deus, e zombou das leis dos homens; ora viva! Coisas do tempo da nossa avó-torta; águas passadas não movem moinho; dize-me o que tens, que eu te direi o que vales: bravo o nosso figurão!...

Todos o festejam, diplomatas, conselheiros, senadores, deputados, ministros, enfim a fidalguia toda da terra!

Dizem que é sedutor e libidinoso; histórias da carochinha! Todas as portas se abrem para ele, todas as famílias o recebem em seu seio!

10. Do espanhol *alicantina:* astúcia, manha, trapaça. (N. da E.)

Se dá um baile, não há fidalgo que deixe de ir dançar na casa do ex-velhaco; se é solteiro, ainda que seja feio, velho, e tenha fama de mau e de bruto, as mães metem-lhe as filhas pelos olhos adentro.

Quando aparece no teatro, os grandes figurões quase que quebram o espinhaço, fazendo-lhe cortesias.

Antigamente era um farroupilha, um trapaceiro desprezível; agora é o amigo de cama e mesa do senhor marquês; é o compadre da senhora viscondessa; é o fidus Achates[11] do senhor conselheiro; é o querido, o nhonhô, o não-me-deixes das moças. O diabo do dinheiro faz até de um mono um cupidinho, e transforma uma azêmola em um rouxinol!

Dizem que é estúpido: elegem-no deputado, ou votam nele para senador. E fica sábio!...

Tem fama de gatuno: nomeiam-no tesoureiro. E fica honrado!

Acusam-no de todos os sete pecados mortais, e ainda dos quatro que bradam ao céu: fazem-no juiz ou mordomo de dez irmandades. E fica santo!...

Passa enfim vida regalada, embora alguns nas costas lhe mordam; tem tudo quanto deseja e aspira: festas, favores e honras, ainda que pela boca pequena o abocanhem; e, para dizer tudo, fica sendo um senhor da terra, como muitos outros senhores da terra.

Viva, pois, o dinheiro, que tudo o mais é história!

A única coisa que se não pode assegurar, é como passará o tratante milionário na eternidade! Mas também isto de religião, eternidade, pecados, purgatório, inferno e o próprio céu, são bruxarias do outro tempo, que já não fazem mossa nos espíritos fortes: são petas poéticas (e tão poéticas como as tais virtudes sociais!), inventadas pelos padres para enganar os papalvos. Hoje em dia todas essas fantasmagorias caíram em desuso, e predomina vitorioso o interesse material ensinado magistralmente pelos grandes estadistas do século, e mesmo por alguns do nosso país.

Viva, pois, o dinheiro, repito: viva o dinheiro, que é a única realidade; e portanto tinha eu carradas de razão, quando declarava que na viagem da vida os *desvios* são sempre mais proveitosos do que a estrada real; porque os desvios nos levam à Califórnia, e a estrada real é o caminho da esteira velha!

11. "O fiel Acates." Expressão usada por Virgílio na Eneida (Livro 1, 188) em relação ao companheiro mais fiel de Eneias. Usa-se para designar uma pessoa inseparável de outra, muito íntima e de toda a confiança. (N.da E.)

E não me venham cá em oposição ao que eu digo e sustento, com longos discursos fosfóricos, e maçantes brilhaturas de eloquência e de poesia, porque em tal caso eu me levanto armado com a história do passado, que é pouco mais ou menos a mesma do presente, como será a mesma do futuro.

Ali temos, por exemplo, o sr. Sócrates, marchando muito senhor de si pela estrada real, dando o exemplo de todas as virtudes públicas e domésticas, pregando que a prática do bem é o mais seguro meio de se conseguir a felicidade, e merecendo enfim o título de rei da razão: pois bem, o que lhe acontece?... Licon,[12] que era um politicão como alguns que temos ajunta-se com mais dois compadres, e dão o bote no sábio, que bebe a cicuta e vai-se, como um passarinho.

Olhemos agora para os *desvios*: lá vai por eles Dionísio o Antigo,[13] pobre filho de soldado, deu um pontapé na virtude, e correu à rédea solta, e tantas fez, que se tornou senhor de Siracusa: encarapitado no poleiro, banhou-se no sangue do povo, e encheu os seus cofres de riquezas e tesouros usurpados até aos próprios deuses, cujo culto seguia; e assim reina trinta e oito anos, e morre com sessenta e três de uma indigestão!... Se não fosse a indigestão, que é moléstia muito própria de glutões políticos, creio que o tal bichinho passava dos cem anos correndo pelos *desvios*.

Aí vai outro pela estrada real: é Régulo,[14] homem de bem às direitas, não há duvida nenhuma; e exatamente por ter provado sê-lo, cortaram-lhe as pálpebras e o amarraram ao sol ardente; e enfim prenderam-no em um caixão todo eriçado de pregos: o diabo que lhe inveje a cama! Agora ali desencabresta Sila[15] pelos *desvios*, tigre sedento

12. Licon (Séc. V a.C.): orador grego, redigiu o documento de acusação contra Sócrates. (N. da E.)

13. Dionísio o Antigo (c.430-367 a.C.): tirano de Siracusa, de 405 a 367 a.C. Expulsou da Sicília os cartagineses, ocupou as cidades gregas vizinhas e fundou feitorias na Itália. Era dominado por contínuos terrores, a ponto de não dormir duas noites consecutivas no mesmo quarto. Mandou cavar as famosas *latomias* (prisões em plena rocha), cuja acústica lhe permitia ouvir todas as conversas dos prisioneiros. (N. da E.)

14. Régulo (séc. III a.C.): general romano, célebre por seu devotamento e por sua lealdade. Cônsul em 256 a.C.; preso pelos cartagineses na primeira guerra púnica, foi mandado a Roma, sob palavra, para propor uma troca de prisioneiros, mas dissuadiu o Senado de aceitar as propostas do inimigo. De volta a Cartago, morreu torturado. (N. da E.)

15. Sila (138-78 a.C.): general e político romano, de origem aristocrática. Cônsul em 88 a.C. Vencedor de Mitridates VII Eupátor, rei do Ponto, tornou-se chefe do partido aristocrático e depois ditador em Roma e na Itália. Proscreveu seus inimigos, reformou as instituições num sentido favorável ao Senado e estabeleceu uma ditadura sem limites.

de sangue, devasso faminto de deboche, gozou tanto, que ele próprio se chamava o feliz, e se não são os piolhos que lhe dão cabo da pele, julgo que nem o cólera-morbo, quer masculino quer feminino, podia obrigá-lo a fazer ablativo de viagem!

Ó lá! por ali se encaminha o sr. Thomas Morus[16] pela estrada real; sábio e íntegro, não há que se lhe dizer: homem de honra e de caráter firme, deixa o conselho de Henrique VIII, porque reprova as reformas que o rei quer introduzir na Igreja; está bem aviado!... teima ainda nas suas ideias!... pois lá vai morar na Torre de Londres, e depois o algoz lhe corta a cabeça! A propósito de firmeza de caráter, vejo lançando-se cauteloso pelos desvios o sr. Talleyrand-Périgord[17] príncipe de Benevento: o maganão é coxo; mas desce por uma ladeira escorregadia tão macio e seguro, como se estivesse passeando em uma sala de baile! atravessa um reinado que acaba em um patíbulo, uma república que morre aos pés de um soldado, um imperialato que expira em uma batalha, mais dois reinados, dos quais o último rebenta de encontro a uma barricada, e entra por outro reinado adentro, como quem vai de viagem, e sempre fazendo um dos primeiros papéis na geringonça política! Vê matar-se um rei, e não morre; vê cair por terra uma repú-

(N. da E.)

16. Thomas Morus (1478-1535): humanista inglês. Chanceler do reino (1529), foi decapitado por não ter querido reconhecer o poder espiritual do rei. É o autor de *Utopia,* romance político e social, em que, a partir de uma áspera crítica da sociedade inglesa e europeia, imagina um país no qual os homens teriam conseguido organizar-se segundo um modelo ideal de sociedade. (N. da E.)

17. Talleyrand-Périgord, Charles Maurice de (1754-1838): prelado e diplomata francês, com serviços prestados à Revolução, ao Império e à Restauração. Bispo de Autun em 1788 e deputado à Constituinte, tornou-se chefe do clero constitucional, defendendo na Assembleia seu próprio programa de ação governamental. Condenado pelo papa, abandonou a Igreja. Conquistou a confiança de Napoleão, que fez dele camareiro-mor do Império e depois o nomeou ministro dos Negócios Estrangeiros (1797-1807). A 6 de julho de 1806, Napoleão conferiu-lhe o título de 'príncipe de Benevento'. Caiu em desgraça (1809) após ter, provavelmente, conspirado para derrubar o Imperador. Em 1814, constituiu um governo provisório, entregando o poder a Luís XVIII. Além de presidente do Conselho, foi novamente nomeado ministro dos Negócios Estrangeiros, tendo sido o representante da monarquia dos Bourbons durante o Congresso de Viena (1814-1815). Formou uma aliança secreta com a Inglaterra, a Áustria e a França, a fim de impedir a anexação da Polônia pela Rússia e da Saxônia pela Polônia. Durante a revolução de 1830, instigou Luís Filipe, duque de Orléans, a aceitar o trono que lhe era oferecido por aclamação pública. Foi-lhe oferecida novamente a pasta dos Negócios Estrangeiros, mas Talleyrand preferiu a embaixada em Londres, onde coroou sua carreira de estadista e diplomata com a assinatura do tratado de aliança entre a França, a Inglaterra, a Espanha e Portugal. (N. da E.)

blica, e não cai; vê abdicar um imperador, e não abdica; vê fugir outro rei, e não foge!... Viva o homem! É da têmpera de uns amigos que eu tenho! Quando teve de prestar juramento ao último rei que conheceu (Luís Filipe), dizem que exclamara com um gracioso sorriso: "He! he! sire, c'est le troisième." E morreu sossegadamente com os seus oitenta e quatro anos bem puxados! Foi pena que não estivesse vivo em 1848 e em 1851, para prestar mais dois juramentozinhos. Se Talleyrand fosse brasileiro, e do nosso tempo, já teria sido saquarema cinco ou seis vezes, e luzia[18] outras tantas; mas havia de encontrar competidores de barrete fora!

Por consequência, os *desvios* são sempre mais convenientes ao homem do que a *estrada real*; está dito. É verdade que os contemporâneos e a posteridade deram a Dionísio e a Sila o nome de monstros, e lançam sobre Talleyrand a acusação de perjuro; é verdade que o rico tratante, apesar de todas as cortesias que recebe, e dos incensos que aos pés queima, é e há de ser sempre um tratante; é verdade que, finalmente, vem a morte, e depois... e depois a tal *ficção poética* da eternidade também é e há de ser sempre a esperança, a consolação, o prêmio seguro dos bons, e o castigo terrível dos malandrins e perversos; mas... diz também um outro antigo anexim "ande eu quente, e ria-se a gente". É esta pelo menos a filosofia e a moral do século e da *atualidade;* se preguei uma doutrina corruptora e infernal, a culpa não é minha, porque eu já disse, repito e digo agora pela terceira vez, que não faço mais do que seguir as lições dos grandes mestres, ou dos mestres grandes, que vem tudo a dar no mesmo.

Para cinco minutos de reflexões já disse muita coisa; ajuízem por isto a velocidade com que anda o cavalo de meu tio!... Ainda bem que fiz ponto final em minhas considerações filosóficas exatamente no momento em que o ruço-queimado abaixou a cabeça até bater com o focinho no chão, fazendo um cumprimento à mula ruça em que está montado o homem das botas.

— Até que enfim!... — disse este.

18. Saquarema: alcunha dada, ao tempo da monarquia, ao partido conservador e aos seus membros. Deve o nome a uma vila do Rio de Janeiro, onde predominava. Luzia: antigo partido liberal, em Minas Gerais, o qual tirou o nome de vila de Santa Luzia, onde teve início a revolução de 1842; nome dado também aos adeptos desse partido. (N. da E)

— Sim, senhor — respondi eu. — O seu *atalho* demonstrou-me que, ao contrário do que dizem todos os gramáticos, o nome é uma voz com que se encobrem as ideias.

— Confesso eu o atalho é um verdadeiro estirão; ao menos, porém, livrou-o do atoleiro: toca a viajar!

— Como!... pois o senhor não vai para o lado da barreira?...

— Nada; tenho o prazer de voltar na sua companhia.

— Se não fosse muita curiosidade, estimaria saber com que fim.

— Adivinhei que não lhe dá gosto o andar só, e assentei que faríamos bem em andar juntos.

— Obrigado; mas realmente não sei como agradecer tão assinalado favor feito a um estranho e desconhecido.

— Não havia nisso de que se admirar: faça de conta que estamos em uma época de virtude evangélica, na qual se fazem favores e presentes aos adversários, quanto mais aos desconhecidos! Entretanto, fique sabendo que eu sei quem é o senhor, e o que vem fazer por aqui.

— Esta é melhor!... então...

— O senhor é sobrinho de seu tio, e vem estudar no livro da sua terra.

— Pois meu tio...

— É um compadre deste seu criado, a quem ele encarregou de fazer-lhe companhia nesta viagem.

— Ainda bem!... O seu nome?...

— Conhecem-me menos pelo meu nome do que pela minha alcunha.

— Venha um, ou outra!

— Lá vai a alcunha: chamam-me *Paciência.*

— Diabo! Deram-lhe um apelido feminino!

— Outros há, que tendo nome e alcunha acabados em o, são muito piores do que eu, porque têm natureza macho-fêmea.

— Leva de má língua, sr. Paciência... nada! Senhor, não: hei de também chamá-lo o compadre Paciência; é coisa decidida; meu tio e eu somos solidários; bem entendido, eu não tenho remédio senão sê-lo, porque do contrário exponho-me a que ele me ponha pela porta fora; há solidariedades como a minha, creia no que lhe digo: meu tio e eu somos pois solidários; o senhor é compadre de meu tio, logo é meu compadre também.

— Vá feito.

— A única coisa que nos falta, é o afilhado.

— Isso acha-se depressa: estamos na terra dos compadrescos e dos afilhados; a moda está mesmo tão introduzida, que já não se faz nada, nem coisa alguma se consegue sem padrinho; e padrinho hoje em dia é sinônimo de inocência para o grande criminoso, de sabedoria para o analfabeto, de merecimento para o indigno.

Entabulada assim a conversação, prossegui na minha viagem com o compadre Paciência.

O meu companheiro de viagem, a quem nunca mais chamarei homem das botas, porque seria o mesmo que chamá-lo homem da roça, e homem da roça é uma entidade especial, que não presta para nada, e de quem os políticos só se lembram em vésperas de eleições; o meu companheiro de viagem, digo, ia tão mal montado como eu.

Cavalgava uma mula ruça pequenina, velha, cambaia, e que não tinha senão um trotezinho curto e abaloso; mas o que me causou um verdadeiro sentimento de compaixão, foi o ar de triste simpatia com que o cavalo de meu tio e a mula ruça do compadre Paciência se olhavam; não sei o que tinham aqueles dois bichinhos da terra para irem assim andando e olhando-se tão melancólicos, como dois bois que marcham para o matadouro. Enfim, provavelmente eles lá se entendem!

O compadre Paciência continuou a sua conversa comigo.

— Então, — perguntou-me ele — persiste ainda nas suas disposições de se envolver em política?...

— Já vejo que meu tio não tem segredos com o compadre!

— Somos dois corpos em uma alma só; porém vamos: persiste ainda?...

— Estou decidido de pedra e cal; eu cá não mudo!

— *Eu cá não mudo*! Principiou logo com uma asneira, quando tratava de política: meu caro compadre, se quer ser político, e chegar a ser tido na conta de estadista, e fazer fortuna *com esse modo de vida*, deve ser cata-vento, e ter os pés sempre prontos para quebrar os degraus, por onde subir, assim que não precisar mais deles.

— Sim, sim, estou por isso; mas também não é menos verdade que todas essas coisas se fazem, porém não se confessam. Eu hei de afirmar sempre que sou firme como um penedo, ainda que seja mole como uma pamonha!

— Bravo! Vá por aí, que faz futuro! Do que diz se conclui que marchará justamente pelo caminho do inferno; mas console-se, porque antes de chegar ao inferno há de subir por muitas grandezas humanas, e talvez mesmo que chegue a ser ministro! Olhe, não seria o primeiro.

— O compadre fala sério, ou está brincando?...

— Sou um roceiro ignorante e rústico, que ainda reza pela cartilha da *independência:* não faça caso das minhas excentricidades; tenho a mania de ser homem de bem, e de acreditar que a base de toda a política deve ser a virtude: asneiras de homem da roça!...

— Poesia... poesia...

— Será isso; mas vamos a saber: qual dos partidos pretende seguir?... o *Saquarema* ou o *Luzia*?

— Qual é o que está de cima agora?...

— Homem, eu também não sei.

— Pois hei de me informar para me alistar nas suas fileiras.

— Dizem por aí que o partido que está no poder, é o saquarema; note bem, que eu não o asseguro, porque às vezes são mais as vozes do que as nozes;[19] parecia-me, porém, que o compadre não se devia decidir a favor de qualquer partido, pelo simples fato de vê-lo no poleiro.

— A minha regra é que quem está de cima tem sempre razão; e de mais, ainda não compreendo bem o nosso mistifório político: tenha o compadre a bondade de me explicar o que querem os tais dois partidos!

— Eis aí uma outra pergunta que me põe em sérios embaraços: o que querem os dois partidos?... conforme, compadre.

— Explique-se, por quem é!

— Distingamos então nos partidos três entidades bem diversas: a multidão, que é a cauda do partido; os correligionários pensadores, que formam o corpo, e os chefes, que são a cabeça; ora agora, assentemos que cada partido é um animal de nova espécie, que tem uma cabeça sofrível, um corpo desproporcionalmente pequeno, e uma cauda mais comprida do que o *atalho* por onde passou ainda há pouco!

— Bem, fica isso assentado.

— O tal bicho, como é natural, é ordinariamente governado pela cabeça; digo ordinariamente, porque quando ele se desespera, e disparata, tem um mau costume de andar às avessas, e então a cauda arrasta a cabeça por onde lhe parece, justo castigo, porque é a cabeça quem acende as fúrias da cauda.

— Bem: e que mais?...

— Dadas estas explicações, respondo agora ao compadre: a cauda de qualquer dos nossos dois partidos, não sabe, nem procura saber o que quer; segue o movimento que lhe imprime a cabeça, e vai indo: permita Deus que lhe não chegue a hora de se desesperar e disparatar!

19. Ser a aparência maior do que a realidade. Tiram-se as nozes batendo as nogueiras com varas. O ditado aplica-se quando o estardalhaço é grande e a colheita é pouca. (N. da E.)

— Até aqui a cauda; vamos agora ao corpo.

— O corpo dos partidos, que é formado pelos pensadores, pensa, prega, sustenta ideias que julga convenientes ao país; mas pode-se-lhe aplicar a *vox clamantis in deserto*:[20] são idealistas, são poetas!...

— *Id est*: são tolos.

— Não; mas são vítimas dos velhacos.

— Já se vê, compadre Paciência, que isto não se entende comigo.

— Os chefes dos partidos, que são a cabeça, exceção feita de meia dúzia de homens sinceros e dedicados, que todos respeitam, são egoístas e ambiciosos, cujos princípios políticos se resumem todos no pronome — *Eu*; trabalham só a favor de seus interesses materiais, lutam e fazem lutar os outros só para se verem ocupando altas posições sociais, que lhe deem dinheiro e importância pessoal. Para eles a política não passa de uma guerra de ambições ignóbeis, que se define perfeitamente com estas palavras já muito repetidas: *"Desce tu, que eu quero subir."*

— Mas, enfim: que diabo querem os nossos dois partidos?...

— A cauda de qualquer dos dois não sabe, nem se ocupa de saber o que quer, já o disse uma vez.

— E o corpo?...

— O corpo de um proclama que quer *conservar,* bem que vá, pelo sim pelo não, destruindo muita coisa boa; e o corpo do outro assevera que quer progredir. Os *conservadores* dizem que não admitem o progresso político, porque temem que ele nos atire além dos limites da prudência; os progressistas repelem os erros do passado; sustentam que o sistema monárquico-representativo está falseado entre nós, que é indispensável apelar para diversas reformas políticas, se quisermos que a monarquia constitucional seja no Brasil uma realidade: uns e outros, conservadores e progressistas, dizem ainda muita coisa, mas o essencial é isso.

— E, uma vez por todas, a cabeça o que quer?... o que querem os chefes?...

— Os chefes?... outra vez, com exceção de alguns homens sinceros e dedicados, que todos respeitam, os chefes de um dos partidos se dizem também *conservadores,* e na verdade que o são, debaixo de certo ponto de vista; porque, quando estão no poder, tratam de *conservar-se* nele a todo o custo, e por todos os meios; e os do outro dizem-se também progressistas, e eu não duvido que o sejam, porque quando estão debaixo,

20. "A voz daquele que clama no deserto" (São João, I, 23, na tradução da *Vulgata*). Cita-se em relação à pessoa cuja pregação não é ouvida. (N. da E.)

caminham para diante com toda a pressa que podem, a ver se nesse *progresso* chegam ao poder; mas o que é verdade, o que todos veem, é que estes *conservadores,* logo que se acham no governo, andam para trás como caranguejos, ou oprimem o país como pesadelos; e estes *progressistas* ocupando o timão do Estado, desenvolvem e mostram um tal progresso de *preguiça*, que chegam até a *subir e descer* sem jamais sair de um mesmo lugar!

— Portanto...

— Portanto, entre os chefes dos dois partidos, com exceção, repito, dos poucos que são sinceros e dedicados, não há luta pelas ideias, há briga por causa do poleiro: os princípios políticos deles são idênticos, porque se resumem, como já disse, no pronome — *Eu*; — e quer subam uns, quer subam outros, a coisa anda, pouco mais ou menos, sempre do mesmo modo.

— O que são os *Whigs*?, dizia O'Connell, são os *Tories*[21] fora do ministério.

— Pois digo-lhe que esse tal O'Connell é ou era, porque não sei quem seja esse sujeito, nem se está vivo ou morto; assevero, porém, que é ou era um homem de muito juízo, e que dava às coisas os seus nomes próprios: nessas breves palavras está pintado ao vivo o egoísmo dos grandes politicões; e nós precisamente devemos ao egoísmo dos chefes o mistifório dos nossos partidos políticos. Os partidos são animados e sustentados pela nobreza, pela justiça, generosidade e utilidade das ideias que proclamam; mas entre nós têm sido muitas vezes iludidos, descaminhados, e indignamente burlados pelos manejos de homens ambiciosos. Olhe, compadre, às vezes aparece um desses espertalhões de alto coturno, que levanta aos olhos do povo uma bandeira grandiosa, e entusiástica: é um gosto ver o ardor com que o tal Catão[22] prega seus belos princípios, e faz mil protestos de desinteresse

21. Tory/tories: partido conservador da Inglaterra e denominação dos membros desse partido. Whig/whigs: partido político inglês que surgiu depois da revolução de 1688 e que pretendia subordinar o poder da Coroa ao Parlamento (substituído nos meados do séc. XIX pelo partido liberal); membros desse partido. (N. da E.)

22. Catão, Marco Pórcio, dito o Censor (234-149 a.C.): estadista, orador e prosador romano, tido como o protótipo do conservador na defesa das tradições da República. 'Homem novo', segundo a designação dada aos indivíduos que faziam carreira política sem que pertencessem à *nobilitas*, foi edil plebeu, pretor na Sardenha, cônsul e censor. Obteve a censura (184 a.C.) graças à reputação de austeridade e moralismo. Representa a mentalidade senatorial típica e as inspirações que orientaram a política romana regida pelo Senado. (N da E.)

e de patriotismo! O povo não pode resistir à sua eloquência: rodeia e aplaude o esperançoso estadista; chega a hora do seu triunfo, ei-lo no poder. Que é dos princípios por ele sustentados? ...o novo ministro bebeu a água de um Lete[23] que corre pelas portas das secretarias de Estado, e esquecendo tudo quanto prometera em oposição, trata somente de satisfazer os caprichos que escondera, e a ambição que o devora. Os chefes! os chefes!... a desmoralização dos chefes tem plantado a descrença no coração dos partidos; e a descrença... a descrença é a véspera do desespero.

— Bravo, compadre Paciência! Está agora tocando o sentimental!

— Eu estou simplesmente dizendo as coisas como elas são. Vejo o santo fogo de um povo entusiasta extinguindo-se ao sopro frio e enregelado dos mais tristes desenganos; vejo a desconfiança por toda parte; o ceticismo nos grandes; a indiferença na classe média, e a miséria na classe que chamam baixa, posto que nela haja homens de muito boa altura. Vejo o povo cansado de ser iludido, zombado pelos seus guias, e desconfiado até dos poucos que se conservam firmes em seus postos de honra. Vejo nobres e generosos ombros doídos por terem servido de escada a arlequins de todas as cores; vejo a abjuração de todos os princípios confessada publicamente por aqueles mesmos que mais ardentemente os pregavam.

Vejo Catões de albarda, e aristocratas de blusa. Vejo, enfim, os partidos sem crenças políticas, porque a maior parte de seus chefes trata exclusivamente de se arranjar, e de arranjar seus parentes mais chegados.

— Compadre, o senhor é um pintor de quadros lúgubres!

— Pois preferia que eu lhe pintasse esta desordem política burlescamente?

— Heróis burlescos só merecem poemas herói-cômicos.

— Pois lá vai uma história.

— Política?...

— Não sei: é uma história de porcos e de milho.

— Mas a que vem uma história de porcos e de milho para o nosso caso?

— Homem, nós estávamos tratando desses pseudochefes de partidos, cujos princípios são difíceis de compreender, porque eles só cuidam de subir ao poder, ou de arranjar-se em belas posições oficiais, ainda com

23. Na mitologia grega, um dos rios dos Infernos. Suas águas levam o esquecimento às almas dos mortos. (N. da E.)

sacrifício das próprias ideias, que fingiam sustentar de coração, e com ardente entusiasmo...

— Mas a história?... a história...

— Estávamos tratando desses papagaios políticos, que gritam muito, quando têm fome, e se calam apenas têm a barriga cheia.

— Sim, mas a história?...

— Em uma palavra, estávamos tratando dos negociantes políticos, isto é, daqueles que fazem da política um meio de vida e brigam quando não os deixam mamar nas tetas do Estado.

— Basta, por quem é, compadre.

— Ouça agora a história.

— Sou todo ouvidos.

— Houve tempo em que eu tive uma fazenda em Cantagalo.

— Bem, e que mais?...

— Plantava, e colhia café, e por distração criava porcos.

— Então temos também o café na história?...

— Não, o café foi um episódio.

— Pois então episódios para um lado, e vamos ao fundo do caso.

— Vamos, com a condição, porém, de ser menos vezes interrompido.

— Os apartes esclarecem a discussão, compadre.

— Quando a não desnaturam, e conspurcam.

— Bravo! Esta vai aos deputados e senadores!

— E eu fico sem contar a minha história!

— Prometo não dizer mais palavra.

— Ora bem: criava eu pois os meus porquinhos, e, conforme o uso, mandava todas as tardes dar-lhes uma ração de milho, assistindo ordinariamente a ela, porque na verdade a coisa me divertia muito.

— Realmente devia ser um espetáculo pitoresco.

— À hora do costume, vinham todos os porcos aproximando-se da casa já com sentido na ração...

— Instinto político! — observei eu.

— Mandava deitar o milho no cocho, para esse mister destinado; acontecia, porém, sempre uma desordem dos diabos!

— Então o quê?...

— O cocho era de bom tamanho, mas os porcos eram muitos, e não podiam comer mais que duas ou três dúzias de cada vez.

— Bem, e depois?...

— Apenas os porcos viam cair o milho dentro do cocho, corriam atropeladamente para ele, e os primeiros que chegavam, enterravam os focinhos no milho, e começavam a comer com uma disposição verdadeiramente devoradora!...

— E os outros?...

— Os outros, que tinham vindo logo atrás, trepavam nas costas dos primeiros e lhes ferravam os dentes nos lombos, grunhindo com raiva e desespero, e finalmente ainda os outros, que mais tarde chegavam, mordiam os segundos, e grunhiam tão fortemente como eles, de modo que era uma desordem dos meus pecados!

— E depois que acontecia?...

— Quando os primeiros se sentiam fartos ou não podiam mais sofrer as dentadas que lhes davam, cediam o posto e o milho aos outros que mais perto se achavam, e que por sua vez sustentavam a mesma luta...

— Que mais?...

— Os que tinham o focinho no cocho e comiam o milho, não faziam o menor ruído; e os outros, pelo contrário, grunhiam com um furor indizível até chegar a sua vez de comer.

— E que mais?...

— Às vezes a briga se dava até entre os porquinhos da mesma raça!... era uma coisa capaz de fazer rir ao filósofo chorão!

— E finalmente?...

— Acabou-se a história.

— Pois, meu caro compadre Paciência, juro-lhe que ainda não entendi o que quer dizer na sua...

— Ora! a moral da história está entrando pelos olhos: quero dizer que a razão da alta gritaria que levantam, e do espalhafato que fazem aqueles que fazem da política o seu *meio de vida*, aqueles que quebram os degraus por onde sobem às primeiras posições oficiais, aqueles que atraiçoam os partidos que os seguiram, e que os elevaram como seus chefes, aqueles que de tempo em tempo mudam de princípios e de opinião, como as cobras mudam de pele, aqueles que como os papagaios falam muito, quando têm fome, e calam-se logo que têm a barriga cheia; quero dizer, repito, que a razão da gritaria e do espalhafato que fazem esses e outros que tais glutões políticos, está em ser o cocho pequeno, e não poderem todos comer ao mesmo tempo dentro dele. Em uma palavra, compadre, quero dizer que há entre nós uma certa qualidade de gente para quem a política é o *milho*, a pátria é o *milho*, o futuro e a glória é o *milho*; e está acabada a história.

— Ah!

Não sei mesmo o que ia dizer ao compadre Paciência, a respeito da estrambólica história que acabava de ouvir, quando fomos obrigados a parar, atraídos por um espetáculo bem desagradável.

A algumas braças da estrada descobria-se uma casinha, que era naquele momento presa das chamas, que já lhe tinham devorado todo o teto, e sem dúvida que dentro em pouco dariam lugar a que o pobre dono daquele modesto *ubi* escrevesse sobre as cinzas e as paredes caídas o *"campos, ubi Troia fuit"*[24] que, entre parênteses, vem aqui muito a propósito.

Perto da casinha incendiada viam-se em desordem os velhos e pobres trastes da família, que nela morara, e junto deles uma velha representante do século passado, um homem de meia-idade, que a consolava, ralhando ao mesmo tempo com uma rapariga de vinte janeiros, que vertia um pranto ainda mais teimoso, e desesperado, do que a vovó.

— Que desgraça é esta?... — perguntou muito sensibilizado pelo que via o compadre Paciência.

O homem, que estava ao pé das duas choronas, voltou-se para nós e respondeu com cólera concentrada:

— É uma coisa bem simples, senhores: é que eu estou em Roma e não vejo as casas! Sou pobre, e pensava que tinha direitos civis e políticos, assim como os ricos; sou enfim um estúpido e mais nada.

— Mas que foi que deu causa a esta desgraça?

— A peste, que dá lugar a muitas outras. Vão em breve fazer-se as eleições primárias, e eu não me quis sujeitar a votar em uma *chapa* que o dono desta terra, onde morei até hoje, e do qual sou forasteiro, me mandou impor pelo seu feitor; despeitado por isso, ordenou-me que me mudasse logo e logo; e como eu pedi que me pagasse primeiro as minhas benfeitorias, ele cortou a questão, incendiando-me a casa![25]

— É possível?!! — perguntou o compadre em uma exclamação.

24. "Onde foi Troia." Ao contar a Dido, rainha de Cartago, a sua fuga de Troia, Eneias relata à sua hospedeira como olhou pela última vez, chorando, as praias da sua tem o porto e *campos, ubi Troia fuit* (*Eneida,* Livro III, II). Estas palavras são citadas por alusão à pátria ou à felicidade perdida. (N. da E.)

25. O autor deste livro está convencido de que na Província do Rio de Janeiro, a mais civilizada do Império, não se observavam fatos como esse que aí vai imaginado; mas, desgraçadamente, em outras províncias, e com especialidade em algumas do Norte, têm tido lugar não poucos atentados tão horrorosos como esse; e pois que está no pensamento do autor atacar os abusos, e a desmoralização, acredita ele que pode bem supor praticados nesta ou naquela província, onde fizer viajar o seu herói, as ilegalidades e os crimes que em qualquer outra parte do Império se tem observado. (N. do A.)

— Também como se pode aturar a teima de um farroupilha?... — pensei eu comigo mesmo. — Ora que a *gentinha miúda* suponha que em eleições pode ser mais alguma coisa do que portadora de listas!... é um desaforo! não se deve entender a lei com a plebe, quando a lei fala de direitos.

— É um crime! — disse o compadre. — O senhor deve ir participar o ocorrido ao delegado de polícia.

— Mas se o delegado de polícia é o próprio autor do atentado?...

— Ao subdelegado!...

— Mora ali perto; caí na asneira de ir falar-lhe ainda há pouco, e participei-lhe que a minha casa estava em chamas.

— E ele?...

— Aconselhou-me que lhe deitasse água.

— Miséria e indignidade! E não há por aqui perto alguma outra autoridade pública a quem se possa recorrer? ...

— Oh! pois não!... Excelente conselho teima ainda o senhor em dar-me!... Mora ali adiante o inspetor de quarteirão: mas se eu lá for queixar-me deste atentado, o homem, que é dos de papo amarelo, ou me despedirá com duas gargalhadas e uma descompostura, ou me mandará recrutar, como vadio; ou enfim me fará morar alguns dias na cadeia; enquanto passa a eleição, porque a chapa que eu rejeitei chama-se chapa governista, e o proprietário desta terra, além de ser delegado de polícia, é o chefe do partido, e portanto tem o poder de fazer o que lhe der na cabeça. Ainda bem que ele se contentou somente com incendiar-me a casa: foi um exemplo, simplesmente um exemplo, para que não grassasse a desobediência.

— Mas o senhor tem a seu favor o direito que lhe confere a lei.

— E tenho também contra mim a pobreza, que é uma espécie de eterna suspensão de garantias, meu caro!

— Então não acha recurso?...

— Para mim agora já não há nenhum; para os outros pobres, que não quiserem que lhes queimem as casas, há o recurso de votar como lhes ordenarem os ricos de quem dependerem.

O meu compadre, apesar de ter a alcunha de *Paciência,* estava furioso como um possesso; mas eu, fiel aos meus princípios, achei a coisa muito natural.

Pois que diabo quer dizer *liberdade de voto?...* Liberdade de voto, ninguém o ignora, é uma burla que todos os partidos pregam, quando estão debaixo, e que nenhum admite nem respeita, nem tolera, quando está de cima.

E mesmo, dado o caso em que se pudesse admitir essa miserável utopia: fora prudente conceder aos *pobres* o direito de votar de um modo diverso daquele por que votam os ricos proprietários, em cujas terras moram?... se passasse um tão perigoso precedente, também os empregados públicos quereriam votar livremente e com consciência; e então, adeus minhas encomendas! Lá ia o *Estado* dar à costa sem remédio, porque isto é evidente: não pode haver governo estável, quando há nos governados liberdade e direito de votar livremente. Estas *poesias* de voto livre é que põem de rastos as nações: *verbi gratia* — a Inglaterra.

Aí vai mais um argumento sem réplica para provar que a sabedoria e o patriotismo repetem o *voto livre*: os estadistas que nos têm governado, devem ser tidos na conta de sábios e patriotas, porque, se o não fossem, não teriam assumido o poder em um governo representativo: ora, apesar de sábios e de patriotas, ainda não houve um só deles que, achando-se no governo em épocas eleitorais, não tornasse impossível, por todos os meios, a livre expressão de voto do povo; logo, a sabedoria e o patriotismo repelem o voto livre. Eu tenho uma lógica de tirar couro e cabelo! É mesmo uma lógica, como a de certos deputados ministeriais, que reduzem tudo a este raciocínio bípede: — o governo fez, logo é justo e bom.

E quanto à chamada prepotência do rico sobre o pobre entendo que ela é muito natural. Todo o homem manda e quer ser obedecido; mas na escala social uns mandam mais do que outros, e mesmo assim todos mandam; até o *pretinho* escravo manda ao gato e ao cachorro que tem na sua senzala; depois do escravo vem o pobre, que está dois furos acima do cachorro e do gato, e um acima do escravo, que por isso lhe obedece: ora, segundo a ordem natural, o pobre devia obedecer também a alguém, e portanto, cumpre que obedeça ao rico, assim como o cachorro e o gato obedecem ao pretinho escravo, e este ao pobre. Isto é lógica de ferro! Não há dúvida nenhuma, eu nasci para ser jornalista de um ministério que pague bem!

Profundamente convencido destas verdades indestrutíveis, obriguei o meu compadre Paciência a pôr-se a caminho, deixando entregue a seus pesares o pateta e atrevido que tinha a ideia de querer votar livremente, e a velha e a moça, que continuavam a derramar um dilúvio de lágrimas.

Alguns minutos depois de começar o trotezinho da mula ruça do compadre, e o tiquetique do cavalo de meu tio, lembrei-me do meu velho, e das suas recomendações; quis então comparar o que acabava de observar com o que determinava a minha *companheira de viagem;* tirei pois do bolso a *defunta*, isto é, a *Constituição do Império*, e comecei a examinar os seus artigos para ver se descobria algum que tivesse relação com o caso.

Estava cá muito ocupado com este trabalho, quando o compadre me disse em voz um pouco alterada:

— Olhe... eis ali a casa do tal inspetor de quarteirão, e sem dúvida é ele que está à porta.

Olhei e vi o bicho, mas ouvi também uma voz fina, como um assobio, que gritava a bom gritar.

— E que voz é essa que me entra pelos ouvidos, como uma ponta de agulha?...

— É sem dúvida uma criança, provavelmente algum nenê filho do inspetor, que está lendo aos gritos: não ouve, como soletra?...

Pouco a pouco nos íamos aproximando da casa.

— Mas que espécie de cartilha estará lendo o tal nenê.

— Ouçamos.

Prestamos atenção, e ouvimos o menino lendo o seguinte:

Artigo 179 da Constituição do Império.

.....................................................................................................

§ VII. Todo cidadão tem em sua casa um asilo inviolável, etc.

.....................................................................................................

§ XXII. É garantido o direito de propriedade em toda a sua plenitude, etc.

— Que irrisão! ... — exclamou o compadre.

— E uma utopia constitucional desmentida pela lógica dos fatos. O nenê podia muito bem ler os §§ VII e XXII do artigo 179 da Constituição do Império, e alguns dos artigos da Lei de eleições, ao clarão do fogo, que está acabando de queimar a pobre casinha do atrevido que quer votar conforme sua consciência.

— E que me diz do belo inspetor de quarteirão?...

— Ora! é um inspetor *comme il faut;* faz o filho decorar a Constituição, e ele pela sua parte a executa, ou viola, conforme os casos e as circunstâncias.

— Um inspetor de quarteirão consentindo que ao pé de sua casa, quase debaixo de seus olhos, se ofendam as garantias de um cidadão, e se menospreze a lei!... isto é insuportável.

— Oh, compadre?... Pois deveras queria que o desprezo das garantias do cidadão e das leis fosse um direito exclusivo dos ministros de estado?... Nada, não senhor, os inspetores de quarteirão fazem também das suas, e podem dizer, como o poeta macarrônico:

*"Nos quoque gens summus, et quoque cavalgare sabemus."*

# CAPÍTULO III

Como depois de considerações transcendentes sobre a Constituição do Império, prova-se até à evidência que é pela barriga que se governa o mundo: faço uma *conciliação*, de que muito nos aproveitamos, eu, o meu compadre Paciência, o cavalo de meu tio, e a mula ruça; admiro as ideias políticas de um estalajadeiro, que tem nariz e barriga de estadista; vou deitar-me, e tenho uma *visão*, que me deixa de boca aberta.

Ainda bem que o incêndio da casinha do pobre votante de consciência e a leitura soletrada dos parágrafos VII e XXII do art. 179 da Constituição do Império me distraíram um pouco: devo entretanto confessar uma fraqueza: a cena de aflição que representava a família *farroupilha* não chegou a divertir-me; o crime de resistência perpetrado pelo miserável, que ousara rejeitar a *chapa* com que o honrara o delegado de polícia, proprietário da terra em que ele morava, devia ter um severo castigo; mas as lágrimas da velha, e o pranto desesperado da moça (que, aqui para nós, não tinha maus bigodes), chegaram quase ao ponto de enternecer-me.

Agora, quanto à leitura da Constituição, o caso muda muito de figura: a Constituição é um poema em oito cantos, contendo 169 estrofes de metrificação variada, e, como todas as composições poéticas e de literatura amena, serve bastante para entretenimento das horas vagas.

Que é que faz um homem sério e grave, quando se sente fatigado depois de um longo estudo de matérias espinhosas e profundas?... Lança mão de um romance, ou de um volume de poesias, e suaviza o espírito acabrunhado pelo peso de pensamentos transcendentais, com essa leitura rápida e fugitiva, do mesmo modo que pratica aquele que se vinga de um abafado dia de calor tomando de noite um refrigerante sorvete no Francioni.

Segue-se, do que acabo de dizer, que eu tenho a Constituição do Império na conta de uma espécie de sorvete: exatamente assim é; mas com uma pequenina diferença, e vem a ser que, apenas em uma certa e curta época do ano deixamos de ter sorvetes, porque os irmãos ou filhos de João Bull não nos mandam gelo; e a Constituição é pelo contrário uma coisa que raramente dá sinais de vida entre nós; porque como diz meu respeitável tio, a Constituição é uma *defunta*, e todos sabem que os nossos ministros de estado têm sobretudo muito medo de almas do outro mundo, e por isso conservam quase sempre a embirrante sujeitinha fechada com sete chaves em um caixão de papéis velhos, também não sei por que ainda não se lembraram de mandar lançar essa papelada na praia; pois valia a pena!

Realmente divertiu-me muito a leitura da Constituição; lembrou-me que aquele nenê, que lia, *soletrando,* devia aborrecer tanto o pobre livrinho, que o privava de estar fazendo travessuras, como certos tamanhões, que o leem *por cima,* desprezam seus ditames, atacam suas bases, sofismam os seus princípios, exatamente porque o orgulhoso livrinho pretende levantar imaginárias barreiras aos abusos do poder.

A Constituição do Império!... eu não sei como há insensatos que ainda acreditem nela, e lhe rendam cultos? Não posso de modo algum compreender a espécie de adoração que lhe tributa meu respeitável tio; pela minha parte, declaro que detesto a Constituição por três fortíssimas razões: primeiro, porque assim me assemelho a muitos dos grandes homens da minha terra; segundo, porque a Constituição do Império é um poema, e eu abomino a poesia; tertio, porque, ou ela há de ser sempre letra morta; e em tal caso é melhor enterrá-la já, que é obra de caridade dar sepultura aos mortos; ou tem de ser letra viva algum dia, e por isso mesmo é muito conveniente acabar com ela quanto antes, para que depois não nos venha dar água pela barba. Reparem bem que estas razões não são de *cabo de esquadra;* não, senhores, são razões de figurão de farda bordada.

Os entusiastas da Constituição dizem que a adoram, pelo que ela *devia ser,* e não pelo que a *fazem ser*: asneira no caso! As coisas são boas ou más segundo a natureza dos efeitos que produzem. Respondem a isto que a Constituição, sempre posta à margem, não pode ser causa dos males do país, devidos somente aos maus ministros que a não querem executar, e que governam no sentido oposto do que ela determina: asneira maior ainda! Eu entendo que é muito mais cômodo lançar a culpa de tudo na tal Constituição, que é muda, e portanto não se pode defender, do que nos ministros de estado, que em regra geral são uns papagaios, que falam até pelas pontas dos dedos, e fazem tais artes de berliques e berloques,[26] que são capazes de receber até felicitações por

26. Arte ou habilidade misteriosa, escamoteação, artimanha. O mesmo que alicantina. (N. da E)

aquilo mesmo, porque tivessem todo o direito de se mudar das secretarias de estado para uma certa casa, da qual ninguém paga aluguel ao proprietário.

*Adoram a Constituição pelo que ela devia ser:* fazem-me rir os tais entusiastas! Vejamos o que dizem que ela devia ser, e o que ela é na realidade.

*Devia ser*... notem, antes de tudo, que quando escrevo *devia ser* é repetindo o que dizem os pobres de espírito, que acreditam nas cebolas do Egito;[27] porque cá o *sobrinho de meu tio* reza pelo alcorão dos grandes estadistas de vontade de ferro.

Vamos ao caso.

A Constituição do Império *devia ser* como as asas de um anjo, à cuja sombra se acolhessem sempre todos os brasileiros; é, porém, como dizia aqui há anos um dos tais entusiastas, uma espécie de chapéu de chuva, que os ministros trazem aberto ou fechado, conforme o tempo que faz.

A Constituição *devia ser* uma virgem formosa, de quem os ministros e magistrados da nação fossem amantes apaixonados; mas é, pelo contrário, como uma velha, pobre e coberta de cicatrizes, de quem eles se riem e zombam constantemente.

A Constituição *devia ser* a arca santa do povo; e que não é mais do que a peteca dos opressores do mesmo povo.

A Constituição *devia ser* um objeto sagrado, no qual nenhuma mão sacrílega tocasse sem que ficasse mirrada; e é como a terra aurífera, que vê enriquecerem-se e engrandecerem-se aqueles cujas mãos lhe rasgam o seio e as entranhas.

A Constituição *devia ser* uma grande realidade, e é apenas uma grande peta.

*Devia ser* como uma divindade, pelo culto da qual estivessem prontos a sacrificar a vida os seus sacerdotes; e é como os oráculos antigos, cujas respostas as pitonisas interpretavam e faziam ouvir sempre favoráveis aos que melhor lhas pagavam.

*Devia ser* como uma mãe idolatrada, cujos filhos lhe pagassem a maternal ternura com amor e dedicação; e é como a árvore frondosa que definha e morre, porque certos parasitas que nela se enroscam, lhe

27. Acreditar nas promessas feitas no passado; esperar que as boas coisas de antigamente continuem no presente. Reminiscência da Êxodo, XVI, v. 3, e Números, XI, v. 5. (N. da E.)

roubam a seiva, e pagam com a morte o favor daquela que os elevou até sua cúpula altaneira.

*Devia ser* um escudo encantado, um asilo seguro para o inocente, perseguido pela prepotência ou pelo poder opressor, e é como uma casa sem portas, onde ninguém se julga livre de ser agarrado: por mais que um pobre homem se apadrinhe muito em regra com o mais claro e positivo de seus artigos, qualquer beleguim lhe põe a mão em cima; é o caso de se dizer: *fia-te na Virgem e não corras*[28]

*Devia enfim ser* muita coisa que não é; e pelo contrário é uma coisa que não devia ser.

Segundo a opinião de alguns inimigos da boa ordem, cumpria que a tal Constituição fosse invariável, que tivesse uma só face, um só parecer; que não mudasse nunca de sentido, apesar de se mudarem as circunstâncias e as posições dos homens: pois não! estavam bem arranjados assim os representantes da época! nessa não caíam eles. Bem que a estátua da tal deusa houvesse sido perfilhada por um augusto estatuário, os grandes estadistas pregaram-lhe um nariz de cera, e quando lhes convém que ela se mostre inclinada para o lado esquerdo, *zás*, um piparote no nariz; se logo depois é preciso que ela pareça voltada para a direita, *fogo,* outro piparote! De modo que a Constituição não é o que está escrito no livro da nação, mas a ideia que melhor sorri, e que mais conta faz aos maganões do poleiro.

Constituição! Constituição! Diga lá meu respeitável tio o que quiser, a única coisa que eu e meus grandes mestres sentimos é que a tivessem escrito em papel. Ah! se fosse gravada em ouro, ou prata, ou mesmo em cobre... quem sabe? Algum de meus grandes mestres já teria proposto que a mandassem reduzir na casa da moeda a meias dobras, patacões, ou enfim a vinténs.

E devia ser assim, porque tudo deve deixar transpirar o pensamento dominante da época em que se vive, e a história há de chamar o nosso bom tempo época do vintém.

Mas o que não posso negar é que a leitura da Constituição feita pelo nenê do inspetor de quarteirão fez-me por algum tempo esquecer uma fome desesperada, que já sentia: coisa célebre! Coincidência notável! A Constituição que me aplacou durante uma boa meia hora

28. Provérbio a que se acrescenta "Verás o tombo que levas", que se diz a quem não toma as devidas precauções e em razão disso, faça o que fizer, sofrerá as consequências. (N. da E.)

esse terrível incômodo, tem também servido para matar a fome de muita gente, que como eu se declara contra ela!...

Senti de novo os sérios avisos do meu estômago; voltei a cabeça para o meu companheiro de viagem, e exclamei:

— Compadre Paciência, estou furioso! Estou com uma fome de jornaleiro!...

— Diabo! Ia-lhe escapando a palavra jornalista; pois olhe, na nossa terra tem havido fomes de jornalistas, que bem caras, ao que dizem, custaram ao tesouro público!

— O compadre fala do passado, ainda bem.

— Mude a linguagem para o presente, que eu aposto cem contra um que ninguém lhe chamará a bolos.[29]

— Mas o que eu digo, é que tenho fome!

— Espere.

— Qual espere! Há estômagos que não podem esperar muito tempo: não pensa que haja estômagos assim?...

— Oh! se penso! Sei até que a fome é uma poderosa arma política.

— Pois então...

— Anime-se; ao quebrarmos aquela volta da estrada, esbarraremos em uma estalagem.

— Veja o que diz, compadre; quem se esbarra, corre o risco de esborrachar o nariz.

— Espero que tal não nos aconteça; entretanto devo preveni-lo de uma coisa.

— De quê?...

— O estalajadeiro é politicão de truz[30], e convém que não tome a nenhum de nós por adversário de suas ideias; por consequência, nem meia palavra sobre a maldita política.

— Mas por quê?...

— Porque o homem é intolerante e tem o mau costume de tratar muito mal aos que não pensam como ele.

— E que partido segue o bicho?...

— Sempre o que está de cima.

— Bravo! É meu correligionário.

— Não me acontece outro tanto.

29. Chamar a bolos: interpelar alguém, para que justifique suas palavras. (N. da E.)

30. Magnífico, excelente. *Truz* é onomatopeia do som de uma queda, de uma explosão e da detonação de uma arma de fogo. (N. da E.)

— Pois mude de opinião enquanto estiver na estalagem: não haverá nisso novidade nenhuma; há muita gente que modifica sempre suas ideias políticas conforme as casas e a companhia em que se acha.

— Já estou velho, compadre; não posso mais me corrigir da mania da franqueza; quando me fazem falar, digo só o que me dita a consciência, e dou às coisas o seu verdadeiro nome: *pão pão, queijo queijo.*

— Pois há de acabar por ser tido na conta de original, ou de doido.

— Paciência.

— Ora, sabe o que me veio à ideia, compadre?... — tornei eu depois de refletir um pouco. — Estou com vontade de experimentar até onde chega a intolerância do seu estalajadeiro.

— Como?...

— Fingindo-me oposicionista enraivado.

— Não caia nessa, tome o conselho de um velho.

— Pois que me poderá fazer o tal marmanjo!... Não me há de prender, nem dar pancadas, e enquanto sentir que tenho dinheiro, fará todo o possível para tratar-me à vela de libra na sua estalagem.[31]

— Veja primeiro bem em que se mete!

— Estou decidido: ao menos serei oposicionista uma vez na minha vida. O compadre conhece o meu correligionário estalajadeiro?

— Não, mas tenho dele notícias bem pouco lisonjeiras.

— Conheçamo-lo pois por experiência própria; acendamos as fúrias do tigre.

— Vá feito! Aposto, porém, que dentro de poucas horas o meu novo compadre dará ao diabo os seus improvisados sentimentos oposicionistas.

Não dei importância aos receios e sinistras previsões do meu compadre Paciência; calei-me, e moendo em silêncio a fome devoradora, que me ralava o estômago, esperei que o pacato e invariável ruço-queimado quebrasse a volta da estrada e chegasse à suspirada estalagem.

Enfim, brilhou o momento desejado: vi a estalagem! Senti-me um homem novo, e até o ruço-queimado, um pouco à semelhança das bestas de pagem, que marchando sempre atrás dos outros animais com que viajam, apenas veem alguma cancela, deitam logo a correr; logo que descobriu a estalagem, fez o milagre espantoso de avançar a ca-

31. Tratar excelentemente. Vela que custasse uma libra (antiga moeda portuguesa) devia ser muito boa. (N. da E.)

beça uma polegada adiante da orelha da mula ruça do compadre Paciência, que, aqui para nós, não se quis tirar do seu trotezinho habitual.

O primeiro objeto que me apareceu na porta da estalagem, foi uma figura humana notável principalmente pela barriga e pelo nariz.

— Eis sem dúvida alguma o estalajadeiro — disse-me o compadre Paciência. — Aquela barriga e aquele nariz são dignos da fama que têm.

Aproximamo-nos e vimos o homem bem distintamente.

Era um marquinha-de-Judas, de pés pequenos, pernas finas, enorme barriga saliente, cabeça enterrada entre os ombros, cara chata e vermelha, boca rasgada e sempre a rir bochechudo, olhos vesgos, e nariz piramidal, tendo o ápice da pirâmide coroado por um volumoso calombo cor de camarão torrado; testa de menos de polegada, e abundante cabeladura muito desprezada.

Estava em pé em uma das portas da estalagem, com as mãos pousadas nas ilhargas, e olhando para o céu como um astrônomo posto a estudar as maravilhas do mundo da lua.

Logo ao primeiro aspecto, podia-se adivinhar que o Marca-de-Judas era homem político, e político que sabe o nome aos bois: naquele ar embasbacado com que contemplava a abóbada celeste apreciava-se o estadista de arromba, que aos olhos do vulgo se finge sempre distraído e todo preocupado com os altos negócios do Estado, quando dentro de si não se ocupa senão dos próprios negócios.

O físico do estalajadeiro não era menos eloquente, nem depunha menos a favor de sua capacidade política.

No grande nariz com que o dotara a natureza, e mesmo no próprio calombo que rematava pirâmide narigal, estava a sede desse *sentido* mais que muito político — o olfato: — um estadista que quer sempre estar de cima deve ter a olfação muito apurada, a fim de sentir a tempo quando qualquer ministério cheira a defunto, para dar-lhe o pontapé junto da cova, ainda que ele lhe tenha dado a mão na época do seu maior vigor; pode, é verdade, procedendo assim, ser comparado justamente com o burro da fábula, que dava o coice no leão moribundo; mas não importa: os estadistas da escola do *Eu*, que é a predominante, assemelham-se, conforme as circunstâncias, a todos os animais da terra: quem quiser ir sempre subindo, sem nunca descer, deve divertir aos que estão em cima, fazendo trejeitos, e dando saltos como o macaco; repetir o que lhe mandam dizer; como o papagaio; deixar-se cavalgar, como o cavalo; atacar de surpresa, como o leopardo; chafurdar-se nos charcos, como a hiena, etc. etc. etc.; mas para se fazer tudo isso, oportunamente, é preciso ter o sentido do olfato muito desenvolvido, como o tem com o seu nariz calombudo o nosso estalajadeiro.

Abaixo do seu tremendo nariz apresenta o Marca-de-Judas uma boca tremenda, outra importante qualidade dos estadistas do *Eu*, que, precisando sempre dizer mentiras de alto calibre, têm necessidade de uma boca da largura da barra do Rio de Janeiro, para dar livre saída a esses monstros destinados a iludir e enganar.

Depois da boca, segue-se a barba e o pescoço, que nada prestam (pescoço até é bom não ter, por causa das dúvidas); depois o peito, que só serve de ornato, dentro do peito o coração, que é uma víscera incômoda e perturbadora do sossego; mas que os estadistas do *Eu* sabem aquietar e adormecer, colocando a algibeira do colete e um bolso da casaca bem por cima dela.

Enfim, do peito se passa para a barriga, e aqui brilha de novo o nosso estalajadeiro com o bojo imenso que tem. Um grande político deve ter uma grande barriga: está visto que eu não falo desses homens sem juízo, desses toleirões que vivem vida política dez, vinte e mais anos, e saem enfim dela pobres como nela entraram; eu falo dos estadistas do *Eu*, daqueles que se sabem *aproveitar,* e dão provas de *juízo* e de habilidade.

Os chins, que são verdadeiros gênios, e que no que diz respeito à *política* podem dar lições aos mestres, tanto mais consideram e altamente avaliam o homem, quanto maior é a sua barriga, e mais crescidas as *suas unhas:* que perspicácia de povo!... Ah! se o meu estalajadeiro tem, como é provável, as unhas tão desenvolvidas como a barriga, e aparecesse na China, fazia uma revolução, produzia um cataclisma político, e acabava por ser declarado *filho do sol;* e não havia nisso muito que admirar; porque meu respeitável tio assevera que aqui na nossa terra, que não é China, há sujeitinhos que ainda há poucos anos ele os conheceu paus de laranjeira, e agora já querem passar por netos da lua!

Sou obrigado a fazer ponto final, ou pelo menos pausa de suspensão na barriga do estalajadeiro, visto que chegamos à porta da estalagem, e apeamo-nos. Fique, porém, entendido, que já de antemão respeito o Marca-de-Judas como um politicão de papo amarelo; aquele físico não engana a ninguém; e até mesmo por ter seus pontos de contato com Judas, na altura, deve por força ser um notável estadista da *escola do Eu,* na qual os Judas são sempre admitidos com vivas provas de entusiasmo, e recebem demonstrações não equívocas do muito que valem, e que deles se espera.

Eu e o compadre Paciência entramos para uma saleta, no fundo da qual havia dois quartos, em que devíamos passar a noite; o cavalo de meu tio e a mula ruça foram para a estrebaria.

O estalajadeiro entrou logo atrás de nós e foi-nos dizendo que se chamava *Constante*, e que não só era constante no nome, como também nos princípios, porque nunca tinha mudado de partido: realmente o homem tinha razão de falar assim, pois que o compadre Paciência asseverava que ele era sempre governista, governassem embora gregos ou troianos.

Pedimos ao sr. Constante que nos mandasse dar de jantar, posto que fosse antes ceia o que lhe devêssemos pedir às horas em que estávamos.

— Já, num pulo — exclamou ele; — mas... os senhores vêm do lado da cidade... que novidades há da corte?...

— Jantar, primeiro que tudo — respondi eu.

— Já... num pulo — tornou-me ele; — porém, o ministério?...

— Jantar, ou não nos arranca palavra; estou com uma fome de quinze dias.

O sr. Constante fez uma pirueta, e correu para fora com a graça de uma siriema.

— Veja lá o que faz — disse-me o compadre.

— Deixe o caso por minha conta — respondi.

O estalajadeiro investiu-nos de novo:

— Estão dadas as ordens; dentro em meia hora terão os senhores um verdadeiro banquete!...

— Ainda bem.

— E que novidades há?... V Sas. vieram da corte?...

— É verdade.

— Tudo em paz, não é assim?... nada de novo?...

— Não é tanto como pensa: anteontem a crise ministerial andava na boca de todos...

— Crise ministerial!...— balbuciou o homem Constante. — Crise ministerial!... — repetiu, arregalando horrivelmente os olhos vesgos.

— É como lhe digo.

— Também aqueles homens!... aqueles homens!... eu bem dizia... já era demais ! os abusos... as violências... eu bem dizia!...

— Mas...

— Mas o quê?...

— A notícia não se verificou; era um boato falso inventado pela oposição: o ministério está mais firme do que nunca.

— Eu logo vi! — bradou o sr. Constante, mudando de tom, bem como de expressão fisionômica. — Aqueles homens patriotas, salvadores da pátria, não podiam abandonar-nos no momento supremo! Hei de hoje beber uma garrafa de vinho à saúde do ministério!

— E eu outra, no dia em que cair esse ministério fatal!

— Como?... O senhor é inimigo do governo?...

Abri a boca, e disse tudo que me veio à cabeça: chamei ladrões e celerados a todos os ministros, um por um; pu-los a todos pelas ruas da amargura; disse o diabo a quatorze! O compadre Paciência olhava para mim espantado, mas não dizia palavra.

O Marca-de-Judas deixou-me falar sem me interromper; mas foi pouco a pouco pondo-se nas pontas dos pés, e apenas fiz ponto final, tomou a palavra.

Foi um gosto ouvi-lo.

O sr. Constante fez brilhaturas de eloquência em defesa do ministério; falou como um deputado da maioria, que acaba de receber a promessa de um emprego rendoso para o filho que no fim do ano deve sair bacharel ou doutor em São Paulo, ou Olinda; e acabando por descompor desabridamente a todos os chefes da oposição, correu para fora da saleta bufando encolerizado.

— Agora, espere pelas consequências — disse-me o compadre.

Não pude responder-lhe, porque acabava de desatar a rir como um perdido.

Eu não podia compreender que espécie de receios tinha o compadre Paciência; dentro em pouco, porém, reconheci a arma terrível que tem um estalajadeiro para empregar contra seus adversários políticos.

Chegamos à estalagem às seis horas e meia da tarde; como disse, eu sentia uma fome desesperadora, não tinha comido nada desde o frugal e ligeiro almoço que me dera meu tio, e eram já oito horas da noite, e não aparecia o prometido banquete do sr. Constante!

De cinco em cinco minutos bradávamos pelo Marca-de-Judas, que sempre nos respondia com a sua frase costumada:

— Já! num pulo!

Mas qual já, nem qual pulo! O *já num pulo* do estalajadeiro estava no caso do *para a semana* ou mesmo no do *amanhã* de certos ministros de estado.

— Então, que lhe dizia eu?... — perguntava-me de momento a momento o compadre Paciência.

— Estou furioso! — respondi, e dando dois passos para o lado da porta, gritei com toda a força de meus pulmões:

— Já! num pulo!

— Pule! sim, pule de uma vez e com os diabos, ainda que quebre duas costelas; mas dê-me de jantar, ou de cear.

— Já! num pulo!

Tempo perdido! Oito horas e meia, e nem os pratos na mesa! Oh que fome! O maldito estalajadeiro punha em horríveis tratos a minha firmeza de princípios; declaro francamente que me arrependi de me haver mostrado oposicionista.

A experiência estava me dando uma grande lição e explicando-me os justos fundamentos por que certos deputados e jornalistas da oposição se mostram tão furiosos, e tanto vociferam contra os ministérios, quando os ministérios duram mais de um ano. Um ano de fome! É realmente muito tempo: os que são ganhadores têm razão.

Ah! foi nessas raladoras horas de fome, nessas horas em que o meu estômago podia mais em mim do que a minha cabeça, que dei carradas de razão aos homens que mudam de partido, alistando-se nas fileiras ministeriais.

Enfim, vitória! As nove horas na noite apareceu a ceia na mesa; corri para ela entusiasmado.

O banquete do sr. Constante compunha-se de uma canja com galinha, uma frigideira de linguiça com ovos, peixe frito, arroz e carne assada; havia ainda roscas, e vinho de Lisboa.

Lançamo-nos desesperadamente contra a galinha e a canja: mas a galinha estava dura, como carne seca; e a canja sabia a sal, como água do mar.

Arrojamo-nos sobre a linguiça; mais sal ainda: era uma pinha!..

Fogo no peixe frito..., estava moído!...

Venha o arroz... ah! era um emplastro de alhos e pimentas!...

A carne assada... tinha fel e vinagre!...

Enfim as roscas... cheiravam a baratas; ninguém as podia tolerar! O vinho ao menos... era uma infusão de pau-brasil!...

Não pude comer, não pude beber, levantei-me da mesa com mais fome ainda, e rompi em invectivas contra o estalajadeiro.

O sr. Constante resistiu a pé firme a tempestade; sustentou que todos os pratos estavam primorosamente preparados, e que o vinho tinha quarenta anos de idade; escapou de dizer que já podia ser senador.

Saí enraivecido para dar um passeio, e gozar o ar fresco da noite; passando, porém, pela estrebaria, redobrou-se o meu furor: a mula ruça do compadre Paciência mastigava paus de rama velhos e secos, e o ruço-queimado de meu respeitável tio roía as tábuas da manjedoura!

Pobres animais! Sem ter cometido a menor falta, pagavam as opiniões políticas de seus donos!

São assim as coisas deste mundo! Quando não se pode tirar diretamente uma vingança completa e satisfatória daquele que se opõe às nossas ideias ou projetos, trata-se de feri-lo indiretamente nas pessoas, ou em qualquer objeto que lhe pertence, ou diz respeito. E por isso que muitas vezes um chefe de polícia, ou delegado, não se atrevendo a prender, a fazer qualquer violência ao homem rico e poderoso, que não se quis curvar aos seus *firmãs*,[32] desforra-se recrutando-lhe os afilhados e protegidos que não têm bastante dinheiro para serem respeitados, como pessoas de gravata lavada.

*Recrutando* disse eu, e não disse nenhuma mentira; porque todos sabem que o recrutamento não é somente uma caçada dos bichos-homens para alimento do exército; mas serve principalmente para satisfação das vinganças dos potentados, e como uma sublime arma eleitoral para ser manejada pelas autoridades policiais,ou por alguma outra autoridade, que melhor compreenda o pensamento do governo.

Estas reflexões faço agora, que estou escrevendo a sangue frio; quando, porém, saí da estrebaria, onde a mula ruça comia pau de rama velha, e o ruço-queimado roía as tábuas da manjedoura com a sua proverbial paciência, trazia eu tanta raiva no coração, e tanto fogo no rosto, que se alguém me pusesse a mão na boca, sufocava-me, e se me chegassem uma brasa à ponta do nariz, estourava certamente.

Entrei na sala bramando como um touro.

— Então, que diabo é isso?... — perguntou-me o compadre Paciência, que estava roendo as unhas.

— E o cavalo de meu tio, e a mula do meu compadre, que jejuam ainda mais do que nós.

— E que lhe dizia eu?

— Mas isto é uma infâmia, e uma prepotência.

— Mude de partido, compadre; tome-se da opinião do estalajadeiro, e verá como se transformam as cenas: quem tem fome, e quer comer queijo, apoia e festeja aqueles que estão com a faca e o queijo na mão: isto é regra, e regra muito seguida atualmente.

— Não!. — exclamei eu. — Não! agora é que estou deveras na oposição; e protesto...

— Não proteste nada... olhe a fome.

32. Não quis se sujeitar; não se submeteu a suas ordens. *Firmã* origina-se do 'ordem do xá', ordem emanada de um soberano ou autoridade muçulmana. (N. da E.)

— A fome?... pois é mesmo por causa dela: a fome é a mãe do desespero; é a fonte das mais pasmosas revoluções: quando o povo tem fome, primeiro queixa-se e lamenta-se, depois vocifera, e finalmente arroja-se, como um tigre, contra aqueles sobre quem lança a culpa da sua fome.

— Ainda bem que estamos em um tempo em que ninguém tem fome, e em que o povo compra todos os gêneros alimentícios por *dez réis de mel coado.*

Não pude responder à *ironia* do meu compadre, porque acabava de cair quase desmaiado sobre uma marquesa.

O furor e o despeito acendiam-me ideias oposicionistas na cabeça: mas ah! de que me servia, e o que podia a *cabeça*, se eu tinha os princípios ministeriais roncando-me na *barriga*?

Fiquei em silêncio uns dez minutos, durante os quais a ira de que me achava possuído foi pouco a pouco cedendo o posto ao abatimento: comecei a refletir friamente.

De que me serve, pensei comigo mesmo, teimar em fazer oposição ao ministério, quando esta infeliz teima me faz sofrer uma tão endiabrada fome?... Não será muito melhor *conciliar-me* com o sr. Constante, declarar-me francamente ministerial, e receber em troco da minha metamorfose política algum *petisco*, que me venha beatificar o estômago?...

Está visto que a *cabeça* acabava de curvar-se diante do poder e da influência da *barriga*: o meu raciocínio mudo não significava outra coisa.

O primeiro passo para a minha *conciliação*[33] estava dado: a barriga podia já em mim muito mais do que a *cabeça*, e do que o *coração*; por consequência, já eu me achava meio *conciliado*: só me faltava falir, e cantar a palinódia, e para isso não me era preciso mais do que vencer um restinho de vergonha.., vergonha, sim, confesso; posto que eu pertença à escola do — *Eu* —, sou por ora um miserável *calouro*, um mais que miserável *futrica*, e tenho a fraqueza de ainda conservar um *restinho de vergonha.*

33. Através desse episódio, o Autor satiriza a política de conciliação que caracterizou a história brasileira, não só no séc. XIX, mas desde o descobrimento. Do lado do governo, praticava-se o velho jogo de acenar com reformas, mas sem promovê-las, para manter-se a ordem estabelecida. E do outro lado, os descontentes e as facções dissidentes, através da conciliação, poderiam chegar a fazer parte do Poder e obter alguns privilégios. (N. da E.)

Mas... a fome continua a apertar-me... não há remédio: dou as mãos à palmatória: vou tratar de fazer a minha *conciliação* com o estalajadeiro.

Ninguém se lembre de acusar-me de leviano, inconsequente, inconstante e vira-folha; quem o fizer não sabe dois dedos de *política*, e ignora as noções mais triviais de filosofia; eu quero demonstrar estas duas proposições até à evidência.

Que fiz eu? ... Cedi à influência e ao poder da *barriga*; ofereci aos olhos do mundo um novo exemplo dessas cenas triviais e já tantas mil vezes repetidas, em que o homem se mostra atado pelas suas próprias tripas ao carro do governo. Que há nisto que admirar?...

Um grande gênio o disse: é o estômago quem governa o mundo: estou, como também muita gente do meu conhecimento, na teoria do grande gênio; entretanto entendo que esse brilhante pensamento exprimiria um princípio ainda mais verdadeiro e absoluto, se fosse modificado do seguinte modo: *é pela barriga que melhor se governa o mundo.*

A fome é a mais poderosa das alavancas políticas, e a *barriga* dos adversários políticos é a *Sebastopol*[34] contra a qual deve um ministério sábio e adestrado assestar toda a sua artilharia.

Poucas *barrigas* resistem a um *assédio* feito em regra; e a um *assalto* dado oportunamente: toda a dificuldade está em descobrir-se o ponto fraco da fortaleza, e fazer-lhe aí a *brecha.*

Suponhamos que apareça no parlamento um orador infatigável e sem peias na língua, que põe todos os dias no meio da rua os abusos e as misérias do ministério: assédio no caso, e primeiro que tudo o mais cuidadoso reconhecimento da praça: o tal parlador é empregado público, ou magistrado?... fogo!... a primeira bomba deve ser uma demissão em uma remoção; resiste ainda?... outra bomba; perseguição aos parentes e amigos; continua?... bloqueio rigoroso, tiram-se-lhe todos os meios de ganhar dinheiro, desacreditando-o ainda mesmo a poder de calúnias, atormentando-o, desesperando-o, até que enfim chegue a hora salvadora da *fome*; e apenas ela soar, está a brecha feita, e dá-se o assalto, fazendo-se oferecimentos de um alto e rendoso emprego ao tagarela, e de convenientes *arranjos* para seus irmãos, primos, e compadres; mas, se ainda assim repelir o assalto, então é melhor levantar o sítio; porque

34. Sebastopol: porto e cidade da Ucrânia, então sob o Império da Rússia. Durante a guerra da Crimeia (1854-1856), após longos cercos, a cidade foi tomada pelas tropas franco-inglesas em 1855. (N. da E.)

um demônio, teimoso como esse, é dos tais que têm a alma na cabeça e não na barriga. Só enforcado.

Note-se bem que este é o sistema mais simples e material de se dirigir a guerra; há muitos outros sistemas ainda, que todos se modificam mais ou menos, conforme o estado e as necessidades da praça que se quer ganhar.

Deseja, por exemplo, o ministério abrandar as iras, ou mesmo dar cor diversa às ideias de uma *gazeta* que o hostiliza? Muito bem; examina e reconhece o estado financeiro dessa fortaleza, e depois ataca com um vigor proporcional aos meios de defesa que tem de superar; se veio no conhecimento de que a *receita* da praça sitiada não chega para as despesas, lança em uma formidável bomba o oferecimento de um subsídio misterioso, dado e recebido em segredo, o qual fará desaparecer todos os receios de um *déficit* (que é bicho muito feio!) e ajunta ao subsídio mais alguns trocos miúdos para sossegar a consciência do terrível adversário: se, pelo contrário, essa lâmpada da imprensa tem óleo suficiente para conservar ativa a sua luz, o ministério trata de apagá-la, afogando a *torcida* em um excesso de azeite: em regra geral, quer num quer noutro caso, a praça acaba rendendo-se à discrição!

O que, porém, é muito necessário estudar, antes de se executar qualquer dessas operações bélicas, é as simpatias e a capacidade do estômago de cada um dos adversários que se quer chamar à *razão.*

Há estômagos miseráveis empregozinho de pouco mais ou menos, e que aceitam indiferentemente qualquer petisco que se, lhes dê.

Há outros de gosto mais apurado, que vão sempre gritando com fome, enquanto não lhes dão alguma pitança de encher o olho; esses não comem senão de *bijupirá* para cima!...

Mas que importa isso?... Qual é o prato, por mais caro que seja, que não se encontra no banquete ministerial?... Ali há de tudo; há guisados diplomáticos mais ou menos delicados; há guisados parlamentares, guisados de secretarias, de tribunais, de magistratura; há, em uma palavra, guisados próprios para todos os paladares! E quando dirige os negócios do Estado um ministério que segue a política do — *Eu* —, não haja medo que ele tenha a mesquinhez de não *dar de comer a todos os que têm fome*; pelo contrário, essa obra de misericórdia é cumprida e executada com tanta maior boa vontade, quanta é a certeza que se tem de que *quem paga o pato é o cofre da nação!*

Assim, pois, fica demonstrado que é pela barriga que melhor se governa o mundo; porque o governo que sofre menos oposição deve-se entender que é o que melhor governa; e o governo que ataca os seus adversários pela barriga, consegue sempre desarmar uma grande parte deles, e fica tendo contra si somente os tolos, que são os homens honestos e de consciência; e consequentemente merece ser tido na conta do *melhor governo*, visto que é dos que sofrem menos oposição: se isto não é a pura verdade, *dicant paduani.*

E não se presuma que a política da barriga, ou a arma da fome tem o inconveniente de ser improfícua, e nula, quando se emprega contra homens que se devem julgar fortes e inconquistáveis pela sua riqueza; quem assim refletir, está no mundo da lua; a independência de caráter não provém da fortuna, existe no coração: há milionários mais bajuladores e escravos do que os mendigos que esmolam pelas ruas; há estômagos tão insaciáveis, há fomes tão desenfreadas como o mar, que nunca se enche, apesar do incessante tributo que lhe trazem os rios; há politicões que padecem de *fome canina*, e que se parecem com as harpias de que nos fala Virgílio.

Também não seria justo acusar a política da barriga de baixa e ignóbil; a baixeza e a ignomínia estão no modo por que se fazem as coisas: todos comem palha, contanto que lha saibam dar; dizia o marquês de Pomba![35] *(si Vera est fama)*, e o dizia no momento em que estava *comendo palha*, que ele não podia rejeitar, atenta a maneira graciosa por que lha davam.

A política da barriga seria realmente baixa e ignóbil se se mostrasse aos olhos do público nua e crua, tal qual é; mas assim como encontramos aí por esse mundo moçoilas magrinhas e finas como um caniço, e que entretanto se apresentam com uma tal roda de vestido, que não passam por um corredor, senão andando de ilharga, assim também a política da barriga, que é um esqueleto hediondo, cobre a caveira com uma máscara, enche-se de postiços, mostra-se trajando ricos vestidos, e põe ainda sobre eles, por causa das dúvidas, um capote que se arrasta pelo chão, como os antigos vestidos de cauda, notando-se que o capote roçagante lhe é indispensável para esconder-lhe o rabo, que o tem de bom tamanho, devendo-se concluir daí que é esqueleto de mono, ou de chimpanzé.

35. Pombal, Sebastião José de Carvalho e Melo, marquês de (1699-1782): estadista português, ministro dos Negócios Estrangeiros no governo de Dom José, adotou uma série de medidas para o Brasil, inclusive a transferência da capital, de Salvador para o Rio de Janeiro. Em 1755, iniciou perseguição aos judeus, acabando de expulsá-los do Brasil (1760). Ao subir ao trono, D. Maria I anistiou numerosos presos políticos, o que abalou o prestígio de Pombal. Acusado de aproveitar-se das funções oficiais em benefício próprio, foi desterrado, morrendo pouco depois. (N. da E.)

Assim ornada e vestida, fica encoberta a hediondez que porventura acham alguns na *política da barriga*, e pode ela fazer das suas, e colher todos os seus frutos muito honradamente, e até com aparências de moralidade, e de amor da paz e da pátria.

Quem tiver sua fome, não se envergonhe de ir vender a sua opinião, e sacrificar os seus princípios a troco de um prato da mesa ministerial; porque tudo isso se explicará convenientemente. As palavras *compra e venda* não serão por certo empregadas, e o *faminto* que se deixou conquistar pela política da barriga, em vez de dizer: "*desertei de minhas fileiras*", "*bandeei-me*", "*atraiçoei minhas bandeira*?", pode muito bem exclamar com um angélico sorriso nos lábios: "*fiz uma conciliação.*"

E os *pequenos*, que têm pejo de proceder desse modo, são uns tolos, são uns pobres basbaques, porque entre os grandes há mestres sublimes destes arranjos conciliatórios: eu pela minha parte afirmo e sustento que o tal *negócio da conciliação* não deve envergonhar a ninguém; porquanto a conciliação é o belo *desiderato*, o fruto precioso da política da barriga, e consiste principalmente em um estado satisfatório e deleitoso das tripas dos *conciliados.*

Segue-se do que acabo de dizer que a política da barriga é uma grande realidade, e a mais sábia, profícua e segura de todas as políticas! Como, porém, todos os sistemas se ressentem da imperfectibilidade humana, não podia este deixar de ter o seu defeitozinho: tem-no, e vem a ser que os heróis que mudam de Partido e se prendem ao carro ministerial pelos laços das tripas, *id est,* pela influência da fome, mostram-se fiéis e dedicados enquanto o ministério lhes conserva as pitanças; mas logo que sentem que estas lhes faltam, ou que as rações diminuem, ou que outros estômagos são mais bem aquinhoados do que os seus, põem a boca no mundo, tomam ares de independência, largam o carro no caminho e tornam a levantar furiosa gritaria: estes sujeitos assemelham-se aos *urubus*, que persistem firmes sobre o corpo morto até que lhe devoram toda carne putrefacta, e apenas resta só o esqueleto, batem as asas, e vão procurar carniça em outra parte. Eis aí, pois, o único defeito da política da barriga: é uma coisa bem triste que não haja bonito sem o seu senão!

Tenho para mim que demonstrei acima de toda a evidência a imensa influência da barriga, no que diz respeito à política; agora tratarei de provar que não é menos ponderoso e sublime o papel que ela representa debaixo do ponto de vista psicológico.

Os filósofos do nosso século, que são sábios de meia tigela, têm em suas obras e controvérsias posto de lado uma questão da mais alta importância, e que era objeto das profundas meditações dos grandes pensadores do outro tempo: é da sede da alma que quero falar; dizem os modernos que a alma, não podendo ser contida em um ponto particular do espaço, não deve também ser circunscrita em uma parte determinada do corpo. Desculpa de maus pagadores!

Os filósofos da Antiguidade e dos séculos anteriores ao nosso pelo menos não fugiam da questão, e diziam sempre alguma coisa sobre ela; por exemplo: Platão, Pitágoras e outros, que tinham o bom senso de acreditar em muitas almas, admitiam para cada uma delas uma sede diferente; a alma racionável, como mais fidalga, devendo morar em sobrado, habitava na cabeça; a irascível, como mais cheia de sufocações e mais necessitada de ar, aboletava-se no peito, e a concupiscível ou sensitiva, como mais conhecedora das realidades da vida, tinha o seu *ubi* no baixo-ventre. Aristóteles, que era um homem de fósforos, julgando o cérebro um órgão muito frio, destinado a refrescar o coração pelos vapores que fazia nascer, encerrava neste último órgão o princípio de toda vida e de toda inteligência. Descartes *descartou-se* com asseverar que a alma estava encarapitada na *glândula pineal*; outros ensacaram-na nos *ventrículos do cérebro*; ainda outros fecharam-na no centro oval, outros até foram grudá-la no *corpo caloso,* etc. etc. etc.

Quando a mim, Platão e Pitágoras meteram num chinelo a todos os filósofos do tempo presente e passado. Assim mesmo Aristóteles aproximou-se um pouco da verdade, porque, como já fizemos observar, o coração fica muito perto da algibeira, e por consequência não é lá uma grande asneira colocar a sede da alma no coração.

Mas eu vou muito adiante de Platão, de Pitágoras, e de todos os seus discípulos; aqui exponho, sem mais preâmbulos, as minhas ideias sobre a matéria.

Não é possível deixar de admitir almas de diversas naturezas, e com sedes também muito diversas. Não são somente os homens que as têm.

O mundo tem alma; e a sede da alma do mundo está no espaço que vai da culatra até à boca da peça de artilharia; é o que se chama vulgarmente *alma do canhão;* um homem muito notável do Brasil, o defunto Antônio Carlos,[36] já tinha reconhecido esta alma quando ao

36. Antônio Carlos Ribeiro de Andrada (1773-1845): político brasileiro, irmão de José Bonifácio e Martim Francisco de Andrada. Deputado à Constituinte brasileira (1823), realizou um anteprojeto de Constituição que, embora marcado por suas concepções liberais, mantinha vigente a escravidão. Com a dissolução da Assembleia, exilou-se na França até 1828. Posteriormente, foi um dos chefes da campanha para a maioridade de Dom Pedro II, tornando-se ministro em 1840. Deputado e senador várias vezes, é considerado um dos maiores oradores brasileiros. (N. da E.)

sair da *constituinte dissolvida* bateu, como dizem, sobre uma peça, e disse: "Eis aqui a soberana do mundo!"

A divisa tem alma, a rabeca também por baixo do cavalete, a chancela é a alma das cartas, até o cântaro tem alma, e abaixo do cântaro o *botão*, que é uma das coisas mais pequeninas que há, não passa sem ela.

Agora, quanto aos homens, entendo que cada um deles tem muitas almas, e que o número destas varia indefinidamente conforme os indivíduos; não podia ser de outro modo. Em um mesmo homem observam-se qualidades e disposições absolutamente opostas; por exemplo: pode haver um homem que ao mesmo tempo seja um grande ladrão, e um fiel e dedicado amigo; ora, a ladroeira é um crime (pelo menos o diz o código que me deu meu tio) e a dedicação à amizade é uma virtude, mas a alma é simples; logo não pode haver na mesma alma uma mistura de vícios e de virtudes; portanto esse homem tem pelo menos duas almas: alma de ladrão e alma de amigo.

Isto não tem resposta em metafísica.

Como o homem tem muitas almas, e como o mesmo lugar não pode ser ao mesmo tempo ocupado por duas entidades, segue-se que cada alma tem sua sede especial; que pode estar em qualquer parte do corpo.

Assim a alma da hipocrisia está espalhada por todo o rosto.

A alma da ladroeira tem a sua sede nas unhas.

A alma da adulação tem a sua sede na boca.

A alma dos ministeriais de todos os ministérios está assentada no nariz, que é por onde sentem quando os *gabinetes* cheiram a defunto.

A alma de servilismo se estende pelas costas, pouco mais ou menos na região sobre a qual se costuma pôr o selim nos cavalos.

A alma do cinismo está toda em todo corpo e toda em qualquer parte do corpo.

A alma da soberba e da vaidade, posto que pareça estar na fronte, acha-se empavezada no *papo*, onde de ordinário tem um trono de pau de laranjeira.

A alma da traição está no ponto mais profundo e oculto das entranhas.

A alma da preguiça está nos braços e nas pernas.

A alma dos ganhadores políticos está enfim na barriga; ficando um pouco mais para o interior a alma da *conciliação*, que tem a sua sede nas *tripas*.

E sucede também, às vezes, que as almas *residem* fora dos corpos que dirigem; por exemplo:

A alma da imprensa do governo tem ordinariamente a sua sede no tesouro público ou nos cofres da polícia.

A alma das maiorias parlamentares está encerrada dentro das pastas dos ministros.

A alma ou solidariedade de certos ministérios está concentrada na vontade forte e absoluta de um dos ministros, representando portanto os outros membros do gabinete um papel dependente, passivo, e quase nulo.

Já se vê, do que acabo de mencionar, que se eu quisesse enumerar todas as almas de que me pudesse lembrar, não fazia hoje as pazes com o Marca-de-Judas, o que me é muito necessário.

Mas onde está a supremacia do estômago debaixo do ponto de vista psicológico?... Não pensem que me esqueci do ponto principal da questão: lá vai a prova irrecusável da tal supremacia.

Admitindo-se, como já não é possível deixar de admitir, que o homem tenha muitas almas, seria um absurdo pretender e sustentar que todas elas são iguais, e independentes, porque, se fossem, tendo todas elas suas tendências, disposições, e naturezas diversas umas das outras, cada uma puxaria para seu lado, e dar-se-ia o caso de uma guerra entre as almas, o que seria verdadeiramente uma rusga de meter medo!

Assim como não há convento sem abade ou guardião, nem parlamento sem presidente, nem loja maçônica sem venerável, para que um dirija e contenha em seus justos limites aos outros membros, posto que todos sejam deputados, frades, ou *irmãos,* assim também todas as almas do homem reconhecem a uma como chefe, e diretora, e a essa alma principal chamo eu *alma das almas*, e declaro e sustento que tem a sua sede no estômago, sendo portanto o estômago quem governa a todo o resto do corpo, bem como a alma que nele reside é quem dirige todas as outras almas.

A demonstração é clara, como o dia.

Pode a cabeça andar à roda, como uma carrapeta; o coração bater, como o martelo de um sapateiro; os braços caírem paralíticos, como dois galhos secos de uma árvore; as pernas tremerem bambas, como pedaços de canotilho, e ainda assim estar o estômago em seu estado normal, e digerir um jantar suculento em casa alheia; ponde, porém, o estômago em abstinência completa aí por uns oito dias, e eu vos dou um doce se a cabeça fizer um soneto, se o coração não palpitar abatido, se os braços não perderem as forças e se as pernas forem capazes de dançar uma gavota.

Por consequência, o estômago é quem dá os dias santos no corpo humano; e a *alma das almas*, que tem a sua sede no estômago, é quem governa e marca o compasso a todas as outras almas.

Visto que gosto de dizer as coisas muito claramente, concluirei com uma comparação, que tornará a minha teoria transparente como o vidro. O vaso da alma do estômago com as outras almas é muito semelhante ao que se observa com os nossos ministérios: o gabinete compõe-se de seis ministros, cada um dos quais preside à sua repartição especial, e não tem nada que ver com as outras; mas um dos ministros é presidente do conselho, e como tal fiscaliza as repartições de todos os seus colegas, e não os deixa mover uma palhinha sem perguntar para onde ela vai, ora, agora ninguém me pode acusar de obscuro; está visto que na minha teoria a *alma do estômago é o presidente do conselho.*

Demonstrei, pois, com verdadeira precisão matemática, a influência imensa e irresistível que tem a barriga ou o estômago (que cá para mim é uma e a mesma coisa, digam lá o que quiserem os anatômicos), tanto em relação à política, como à psicologia; mas esta demonstração, que pode ser útil aos ignorantes, não me era necessária a mim; *primo*, porque deixo provado que sei mais filosofia do que os frades novos do convento de São Francisco da capital do Império; e *secundo,* porque, ainda que não soubesse, o meu estômago me estava mostrando a luz da verdade, e de um modo que não admitia réplica.

Com efeito eu já não podia mais: a fome devorava-me as entranhas, como o abutre as do menino espartano; mas eu não tive a coragem do discípulo de Licurgo,[37] que se deixou matar sem gemer; pelo contrário olhei muito tristemente para o compadre Paciência, e balbuciei:

— Compadre, não há remédio; vou mudar de partido.

— Como!...

— Tenho uma fome endemoninhada, uma fome que me suspende todas as garantias da honra e da probidade.

— Eu bem o preveni; agora é tarde.

— Que tarde! Declaro que vou fazer uma *conciliação*; sim, quero *conciliar-me* com o Marca-de-Judas.

— E de que modo?... e com que fim? ...

37. Licurgo: legislador espartano, talvez seja uma figura lendária (as datas propostas para sua vida oscilam entre os sécs. XII e VII a.C.). Atribuíram-se a ele quase todas as instituições políticas e militares de Esparta, bem como a clássica 'disciplina espartana': o Estado zelava pelo indivíduo, com o objetivo de fornecer homens preparados para a guerra. (N. da E.)

— De que modo!... passando-me para o partido ministerial; com que fim!... só e positivamente com o fim de encher a barriga.

— Ah, compadre!... — exclamou o terrível Paciência. — Compadre! você contou-me a história de vinte conciliações em duas palavras!

Nesse momento entrou na saleta o sr. Constante. Levantei-me, fiz cara alegre, e cheguei-lhe um tamborete.

— Meu caro amigo, sr. Constante! — disse eu com voz açucarada.

O homem do poder olhou para mim com olhos desconfiados.

— Então continuei eu,— acreditou naquela peta que lhe preguei a respeito do ministério?...

— Qual?...

— A história da crise.

— Pois era peta?...

— Sem dúvida. Se fosse verdade, ver-me-ia alegre e satisfeito?... Não há crise que não deixe o ministério com uma ferida aberta: as crises ministeriais são como os ataques cerebrais, que de ordinário cedo se repetem, e acabam por matar; ou eu, que sei disso, se tivesse havido crise, tinha posto fumo no meu chapéu.

— O senhor brinca?...

— Nada, estou falando muito sério: sou, e serei sempre amigo e defensor do ministério atual.

E acompanhei esta formal declaração com uma descalçadeira nos oposicionistas, que os deixei em panos de sal e vinagre.

O sr. Constante não pôde resistir à minha eloquência, atirou-se a mim e abraçou-me pelo pescoço com tanta força, que quase me afogou.

Quando nos desenlaçamos, o sr. Constante olhou-me com um certo ar de malícia, e deu-me o primeiro bom-dia que me competia, como *conciliado,* perguntando-me:

— O senhor há de estar com fome?...

— Ah! se há tanto tempo que não como! — respondi.

— *Não pôde esperar mais* — observou o compadre Paciência.

— Se eu pudesse arranjar alguma coisa! — disse eu.

— Já, num pulo! — exclamou o Marca-de-Judas, correndo para fora da saleta.

Mas, suspendendo-se na porta, voltou-se para nós, e perguntou, apontando para o compadre Paciência:

— E aquele senhor?...

— É dos nossos — exclamei.

— Nada — respondeu o maldito compadre. — Nada; eu sou o que era.

O sr. Constante esteve meditando durante alguns instantes, até que enfim disse meio melancólico:

— Às vezes comem uns por causa dos outros.

E saiu.

— Ora pois, compadre: vai você regalar-se com uma boa ceia à minha custa!

— E verdade, e o estalajadeiro explicou isso bem claramente em suas últimas palavras: quis ele dizer que há casos em que, para se contentar e *conciliar* a um, é preciso dar que comer a dois.

Não pudemos continuar a conversar, porque o sr. Constante entrou logo seguido de um caixeiro e de um moleque trazendo-nos uma ceia apetitosa, e algumas garrafas de vinho generoso.

Ah! comemos, como dois curadores de órfãos sem consciência! Depois do primeiro prato, que era de *lentilhas*, enchi um copo de vinho até às bordas, e pondo-me de pé, bradei com toda a força dos meus pulmões:

— Viva a *conciliação!*

Enquanto ceávamos, o sr. Constante tomou a palavra e discorreu larga e pomposamente sobre o estado lisonjeiro e brilhante do país; falou em paz e sossego, em arrefecimento de ódios, em prostração ou aniquilamento dos partidos, e finalmente em todas as coisas e ainda em outras coisas mais.

O homem estava eloquente! Mas onde se mostrou superior a todo elogio foi nas sábias e profundas considerações que fez acerca do progresso e dos melhoramentos materiais: isso sim é que foi brilhatura! Eu não sei onde o estalajadeiro tinha aprendido tanta palavra bonita; o certo, porém, é que, espumando pelos cantos da boca, e gesticulando com um entusiasmo febril, não se lhe ouvia senão: *empresas gigantes, canais, estradas de ferro, colônias, mineração, navegação a vapor* e, quando lhe faltava alguma frase dessas, repetia as que já tinha dito, ou exclamava com ardor: progresso material!... melhoramentos materiais!.., tudo material! . .. tudo material!...

O compadre Paciência por três ou quatro vezes depôs o talher sobre a mesa, e parecera disposto a entrar na discussão; felizmente outras tantas vezes se arrependeu do que ia fazer e continuou a cear, ao mesmo tempo que o sr. Constante nos quebrava os ouvidos gritando sem cessar:

— Progresso material!.., melhoramentos materiais!... tudo material!... tudo material!... tudo material!...

Quando nos levantamos da mesa, ainda o bom do homem bradava, dizendo a mesma coisa, e então o compadre Paciência, dando-lhe as boas-noites, e dirigindo-se para o seu quarto, disse-lhe por entre os dentes:

— Tem razão, sr. Constante, é isso mesmo: tudo material!... tudo material!...

Enquanto o estalajadeiro correspondia às boas-noites do compadre Paciência, escapei-me eu para fora, e fui à estrebaria ver em que estado se achava o cavalo de meu tio.

Oh! milagre da *conciliação!...* O ruço-queimado tinha a manjedoura atopetada de capim fresco, e a pobre mula ruça roía pau velho de rama!...

— Não há dúvida alguma — disse eu comigo mesmo. — É pela barriga que melhor se governa no mundo!

Desde a hora feliz da minha proveitosa *conciliação* tudo me correu com vento em popa: foi um dilúvio de boa fortuna! Tive excelente ceia, achei o ruço-queimado com a manjedoura farta, e até o compadre Paciência sentira refletir sobre o seu estômago os raios da minha brilhante regeneração política; mas o que veio ainda coroar a obra, e o que considerei uma dita não menos apreciável, foi o poder escapar das garras do Marca-de-Judas, que me estava esperando na varanda da estalagem, seguramente para maçar-me o resto da noite, fazendo-me ouvir a sua opinião sobre o merecimento, a sabedoria e o patriotismo do ministério.

Apenas descobri de longe a barriga e o nariz do sr. Constante, fiz o que deve e costuma fazer todo o *conciliado* que já tem a barriga cheia; aproveitando a sombra, voltei-lhe as costas, sem que fosse percebido, e dando uma volta em torno da casa, encontrei aberta uma janela que dava para a saleta: de um salto pus-me dentro, e fui pé ante pé recolher-me ao meu quarto.

Não tenho vergonha de ação que pratiquei: não são somente os ladrões e os namorados que entram pelas janelas em vez de entrar pelas portas; os grandes políticos da escola do — *Eu* —, que, como se sabe, é a predominante na atualidade, às vezes e sempre que é necessário aos seus interesses, pulam também pelas janelas para dentro do ministério, e até mesmo se sujeitam, a fim de chegar ao poleiro, a espremer-se tanto, que chegam a fazer caminho por qualquer buraquinho de rato. É por isso que eu sustento que a ginástica é uma arte indispensável aos estadistas: a *política* toda se reduz a saber atacar e retirar, saltar e correr, agarrar e comer, tudo muito oportunamente.

Chegando ao meu quarto, tratei logo de despir-me e deitar-me. A cama que me preparara o Marca-de-Judas, não era boa, nem má, era uma cama assim assim; não me enfadei por tão pouco; só quem já foi ministro duas ou três vezes pelo menos, e aproveitou-se do ministério para arranjar a vida, é que pode deitar-se todas as noites em *colchões* macios. Eu hei de chegar lá, porque bons mestres me têm dado exemplos admiráveis, e aberto uma estrada em que não se acha estrepe nem atoleiro; mas por ora não sou mais do que um simples admirador dos gênios transcendentes da minha terra: contento-me, pois, com os colchões do sr. Constante.

Rolei na cama uma boa hora, sem poder dormir. Querem ver, que asneira?... Tinha eu na cabeça o estribilho predileto do Marca-de-Judas, e quer me voltasse para a direita, quer para a esquerda, como que o travesseiro me bradava: "*progresso material! Melhoramentos materiais!... tudo material!... tudo material!...* "

Estava me acontecendo o mesmo que ao apaixonado da musa *Terpsícore*,[38] que de volta do teatro deita-se e não pode conciliar o sono, porque tem incessantemente diante dos olhos as dançarinas, a quem acabou de ver executar um *passo a dois*, fazendo piruetas, e dando pernadas capazes de pôr em uma fogueira a cabeça de um velho celibatário.

Nada podia distrair e vencer minha imaginação exaltada: eu estava vendo *o progresso material* no escuro, e apesar de tudo: se uma pulga me dava uma ferroada, ainda assim parecia-me ouvir o sr. Constante bradando: *"progresso matérial!..."* Se alguns insetos nojosos me chupavam o sangue, a despeito deles ouvia: *"melhoramentos materiais!"* Se a cama jogava comigo em cima, como um andaime velho, e a ponto de fazer-me recear o ter de acabar a noite estirado no chão, assim mesmo eu escutava a exclamação entusiástica: *"Tudo material! Tudo material!..."*

Em uma palavra, tanto se foi exaltando e abrasando o meu espírito, que acabei por ficar de todo fora de mim, e, em último resultado, tive uma *visão.*

E que visão!... vi coisas de fazer arrepiar os cabelos!...

Ah! que não sei de nojo como o conte!"

Eis aqui em poucas palavras o que vi, sem mais me lembrar de que me achava deitado na cama que me dera o sr. Constante, e sem que me perturbassem os roncos do compadre Paciência, que dormia no quarto vizinho.

Pareceu-me que me achava em um lugar tão alto, que me considerei transportado ao mundo da lua, ou pelo menos encarapitado em cima da

38. Terpsícore: musa da dança e da poesia lírica, representada com uma lira. (N. da E.)

pedra do Corcovado; era enfim um lugar muito alto, tão alto, como a presunção e a vaidade daqueles que sendo há poucos anos muito *pouca coisa,* transformaram-se em *grandes coisas,* por graça da Constituição, de que juram agora fazer a desgraça.

Eu não pestanejava e meus olhos estavam imóveis e firmes, como os de um candidato, quando os embebe na *libérrima* urna eleitoral; e por diante de meus olhos foi passando vagarosamente um vasto e rico império, como a esfera terrestre rodando ao olhar de um estudante de geografia.

Que império era esse, é o que não posso assegurar; parecia-se com o Império do Brasil, como as duas mãos de um mesmo homem: creio que era ele, e nele vi coisas que me deixaram com a boca tão aberta, como fica um deputado ministerial quando fala o ministro que lhe prometeu uma comenda ou um baronato para o seu compadre *totum continens*[39] do colégio de tal.

Vi grande parte do corpo andando de pernas para o ar, donde concluí que no tal império estava se dando o caso do mundo às avessas.

Vi a imprudência em pé, o servilismo de cócoras, o mérito atirado nos cantos.

Vi a imoralidade política vestida de casaca, e a honra coberta de farrapos.

Vi a corrupção armada de uma espada de ouro espatifando grandes bandeiras, e muitos dos defensores desta correndo pela porta adentro de uma confeitaria, onde trocavam as insígnias das suas cortes por pedaços de pão-de-ló.

Vi o predomínio do individualismo substituindo a luta dos princípios e o poder das ideias.

Vi pessoas e não vi sistema.

Vi a mentira e o sofisma abafando a verdade e triunfando da lógica.

Vi renegados zombando dos crentes.

Vi a opulência em um círculo limitadíssimo, e a miséria na multidão.

Vi a prepotência dos grandes e a opressão dos pequenos.

Vi um governo representativo sem eleição: *id est,* uma pirâmide suspensa no ar.

Vi uma magistratura pedinchando ao governo: *id est,* uma Astreia[40] com espada de pau.

39. Todo moderado; todo sóbrio. (N. da E.)

40. Astreia: figura mitológica da Grécia, filha de Zeus e de Têmis. Transportada ao céu, tornou-se a constelação de Virgem. (N. da E.)

Vi um sistema político sem equilíbrio dos poderes que o compõem: *id est,* o universo sem a lei da atração.

Vi uma guarda nacional tropa de linha: *id est,* Washington com uma chibata levantada sobre as costas.

Vi a liberdade do cidadão à mercê dos beleguins: *id est,* o legado de Jesus Cristo exposto à vingança dos fariseus.

Vi *direitos* escritos em um livro de ouro que se lia em voz alta ao mesmo tempo que se calcava aos pés todos esses direitos: *id est,* palavras que não adubam sopas.

Vi a religião de Cristo profanada pelos seus próprios sacerdotes: *id est,* uma coisa muito feia, que não se diz.

Vi...

Mas fiquei horrorizado de tudo isso e de muito mais ainda que fui vendo, e de que me não quero lembrar, até que por fim foi passando diante de meus olhos uma cidade irregular, porém já um pouco grande, e que sem dúvida alguma é a capital do vasto império.

Estremeci de repente ouvindo um grito levantado por mil bocas: era a mesma exclamação do sr. Constante:

— Progresso material!

E vi, dirigindo-se para uma praça, uma procissão imensa, e por todas as razões extraordinária.

Quem rompia a marcha era um rapagão de maneiras muito corteses, e que trazia sempre um doce sorriso nos lábios, posto que tivesse o coração cheio de fel: o único defeito físico que lhe achei, foi ter os olhos meio vesgos: chamava-se o senhor *Engodo*, e caminhava adiante trazendo uma bandeira erguida, na qual se lia em caracteres brilhantes a frase brilhante do Marca-de-Judas: Progresso material!

Logo atrás do sr. *Engodo,* marchava um grande número de raparigas, todas elas irmãs e primas umas das outras, e cada qual mais namoradeira e provocadora: chamavam-se as senhoras *Empresas*, e cada uma trazia a sua bandeirola com a competente divisa; em uma bandeirola lia-se *Estrada de ferro,* em outra *Navegação a vapor*, em outra *Companhia da iluminação a gás*, em outra ainda, *Colônias*, e assim por diante.

Aplaudia-se muito a essas senhoras, e com razão, porque, apesar de namoradeiras e provocadoras, elas prometiam a todos favores, melhoramentos, e inegável progresso ao vasto império; mas sucedia ao mesmo tempo uma coisa diabólica por causa delas.

Apercebidos de que o povo estava festejando entusiasmado as tentadoras raparigas, uns poucos de figurões de grandes fardas bordadas arrancavam das mãos do incauto povo preciosos tesouros, que ele mais zeloso devera saber guardar.

Roubavam-lhe sorrateiramente um formoso menino chamado *Júri*, que bem educado e instruído prometia fazer muito, e dava grandes esperanças para o futuro.

Punham em torturas uma linda menina irmã do *Júri* chamada *guarda nacional*, e vestindo-a de calças e botas faziam dela um *soldado de linha,* e amarravam-na de pés e mãos a um certo regulamento tão brutal, como anacrônico, a que em determinados casos ficava sujeita, para glória e fama do passadíssimo defunto conde de Lipe.

Iam apagando uma a uma todas as grandes ideias políticas e morais que alumiavam à nação o caminho do futuro, e aproveitando-se do escuro, em que por seu descuido ficava o povo, arrancavam-lhe dos braços uns escudos chamados *direitos,* de modo que sem o pensar tornava-se ele indefeso contra os golpes do arbítrio e da prepotência.

E quando por acaso alguma sentinela popular mais vigilante bradava *alerta!* e o povo mostrava querer pensar no que procuravam fazer dele, os homens de grandes casacas bordadas improvisavam imediatamente alguma rapariga da família das senhoras *Empresas*, que aparecia com sua bandeirola, e namorando e provocando o papalvo, conseguia entusiasmá-lo outra vez, esquecendo o brado da sua sentinela, e sacrificando toda sua grandeza e todo seu progresso moral à grandeza e ao progresso material, que aliás não é nem pode ser incompatível com aqueles, e muito pelo contrário devem sempre marchar a par um dos outros, menos quando se emprega traiçoeiramente o progresso material para deslumbrar o povo a ponto de perturbar-lhe tanto a *vista* que ele não possa *ver* a obra da aniquilação de suas conquistas morais e políticas.

Dirigindo a procissão, pondo em ordem as figuras e mantendo a ordem das fileiras, mostravam-se aqui e ali os tais homens das grandes fardas bordadas vestidos um pouco esquisitamente, pois que suas fardas tinham *rabos* muito compridos, dos quais pendiam, arrastados pelo chão, uns livrinhos bem semelhantes àquele que em sua despedida me dera meu respeitável tio, dizendo-me que eram a *defunta que nunca viveu* e os seus competentes filhinhos; ora, como às vezes acontecia que os livrinhos metiam-se por entre os pés e atrapalhavam a marcha dos diretores da procissão, estes, que queriam andar livremente e sem embaraços, calcavam aos pés os pobres livros, e lhes rasgavam as folhas sem cuidado nem piedade.

Acompanhando por toda a parte os homens de casaca bordada, via-se um número espantoso de pessoas de todos os tamanhos; algumas tinham grandes barrigas e fisionomia risonha; outras estavam magras e abatidas e levavam as mãos estendidas, como quem pedia alguma coisa; todas porém traziam de fora línguas enormes: seguindo os brilhantes figurões, caminhavam umas arrastando-se pelo chão, como serpentes; outras de cócoras e aos saltos, como sapos, e as mais gordas em pé, mas de cabeça curva e braços cruzados, como servos humildes; e toda esta súcia, enfim, entoava de quando em quando com voz anti-sonante este hino entusiástico e patriótico:

*Sublimes, potentes, heróis devotados,*
*Da terra os senhores somente sois vós!*
*Enquanto seguros de cima estiverdes,*
*Tereis defensores constantes em nós.*

*Favores, emprego, dinheiro*
*Esperamos, senhores, de vós;*
*E do vosso banquete um pratinho*
*Venha a nós! venha a nós! venha a nós!*

Enquanto esta turbamulta seguia constantemente os homens de casaca bordada, cantando o hino do *venha a nós*, uma mocetona diligente, esperta, saltona, pérfida e usurária metia-se por entre às senhoras *Empresas*, festejava agora umas e desprezava outras, e logo depois corria para a multidão com os bolsos do vestido e as mãos cheias de papéis, e gritava: *ações! ações! ações!*

O povo agarrava-se à tal mocetona, que se chamava a Exma. Sra. D. *Agiotagem*, tomava-lhe os papéis, e dava-lhe em troco dinheiro a mais não poder; e a sujeitinha, apenas vendia todos os seus papéis, tornava a correr para as senhoras *Empresas*, e aí maltratando aquelas a quem há pouco festejara, aplaudia e abraçava-se com as outras, a quem desprezara; enchia outra vez os bolsos dos tais papéis, e voltava a vendê-los ao povo, que caía como um patinho!

No meio dessas idas e voltas da Exma. *Agiotagem,* ouvia-se partir do seio do povo brados de desespero de muitos que por ela se achavam logrados, enquanto um círculo privilegiado de protegidos da embusteira repartia os lucros da negociata que ela arranjava.

Além dessa mocetona de inconcebível mobilidade, uma outra já matronaça, vestida tão faustosa como indecentemente, percorria todo o préstito da procissão, misturava-se com os espectadores, e perdia-se até no meio da multidão, que vinha atrás, era a *Imoralidade,* conforme a ouvi chamar: assoprava aos ouvidos de todos conselhos infames, ensinava a uns a calúnia, a outros a concussão, a estes a perfídia, àqueles o cinismo, a alguns a hipocrisia, e a todos o esquecimento de todos os deveres: ela não cantava, mas bradava, e o seu brado era um, único e sempre o mesmo:

"Ouro! ouro!... ouro!..."

E essa mulher, cujo contato era perigoso, e cujo bafo era pestífero, mas que oferecia a todos aqueles que encontrava em sua marcha tortuosa e agitada, riqueza, luxo, fausto e grandezas humanas, via-se festejada por muitos homens ambiciosos, a quem dava em sinal de proteção um beijo fatal, e desde que esse beijo estalava, os que o recebiam, escravos logo de um encanto infernal, acompanhavam a *Imoralidade,* identificavam-se com ela, e devorados por uma certa fome e sede inextinguíveis, repetiam em coro o brado sinistro:

"Ouro! ouro! ouro!"

Mas não havia ouro que os fartasse! Nem dez Califórnias juntas com um suplemento de vinte turiaçus teriam ouro bastante para lhes matar a fome e saciar a sede.

Após a *Imoralidade* vinha a *Hipocrisia* com o rosto coberto com uma máscara, e a máscara coberta com um véu, marchando com a cabeça baixa, falando com voz de choro, e rindo-se a bandeiras despregadas dentro de si.

Depois da *Hipocrisia* seguia-se o *Escândalo;* sem máscara nem véu, manchado de crimes e de ações torpes, e com a cabeça levantada e o rosto brilhante de soberba e de ousadia: coisa célebre! Muita gente da procissão fazia barretadas ao *Escândalo*, como se ele fosse um grande fidalgo.

Depois do *Escândalo* aparecia a *Corrupção,* vestida de casaca e repartindo honras, empregos e dinheiro, e cercada de cristãos que punham de repente turbantes sobre a cabeça, e que riam-se a não poder mais quando alguma voz perdida lhes gritava: — renegado.

E vinham ainda — o *Egoísmo — a Intriga — a Traição — a Covardia.*

E muitas outras figuras, além destas, tomavam parte também nesta procissão, que era muito maior que todo o exército da Rússia, e todas as figuras que marchavam nas filas, ou que entre as filas se mostravam, alegres, descuidosas e ao som de uma orquestra de tachos, cega-regas, matracas e instrumentos infernais cantavam estes versinhos, que deviam saber a gaitas ao Marca-de-Judas!

Vai tudo o melhor possível;
Oh que fortuna tão bela!
Navegando em mar de *Rosas,*
Nossa pátria vai à vela.

Viva o dinheiro!
Fora o ideal!
Viva o progresso
Material!...

A vida que nós passamos
É contra a *Constituição*,
Mas não faz mal é milagre
Da *santa conciliação.*

Viva o dinheiro!
Fora o ideal!
Viva o progresso
Material!...

Isto de pátria e virtude
Honra e glória é só — poesia
Poder, *dinheiro et cetera*
É que tem gosto e valia.

Viva o dinheiro!
Fora o ideal!
Viva o progresso
Material!...

Nosso altar é a algibeira,
Nossos deuses prata e ouro,
Nossa oração — *venha a nós*,
e o nosso *Céu* o tesouro.

Viva o dinheiro!
Fora o ideal!
Viva o progresso
Material!...

Mas logo atrás da brilhante procissão que tão entusiasticamente saudava o progresso material e a riqueza de alguns, vi uma multidão de gente sem conta, toda ela triste, abatida, sem direitos, sem crenças e quase enfurecida, porque além do seu abatimento, além da sua descrença, e além da consciência que tinha de que seus mais caros direitos eram todos os dias postergados, ela se mostrava ainda andrajosa, e horrorizada diante do aspecto mirrado da fome que de perto a ameaçava.

Essa multidão olhava com furor para as brilhantes figuras da procissão que ia marchando adiante, levantava de quando em quando as mãos para o céu, e cantava ela também por sua vez; mas o seu canto era como um longo ribombar de borrasca, ou como um bramido de tigre...

Eu quis ouvir o que ela dizia no seu tremendo canto; não entendi, porém, uma só palavra!

Era uma bulha, um alarido dos meus pecados!

E logo depois a multidão foi-se afastando, e pareceu-me que toda aquela grande terra que eu tinha visto se cobria de nuvens pesadas e negras, que uma tempestade horrorosa desabava sobre ela... que o susto e o terror se apoderavam de todos os ânimos, que...

Ouvi rebentar um trovão espantoso...

Dei um pulo da cama assombrado...

Diabo! O trovão que eu acabava de ouvir era simplesmente um ronco do meu compadre Paciência, que dormia como um porco!

E foi-se a minha visão!

Amanhã hei de pedir ao compadre Paciência que me explique, e me ponha em trocos miúdos esta singular extravagância do meu espírito.

# CAPÍTULO IV

Como o compadre Paciência fez-me levantar da cama ao romper do dia: despedimo-nos do Marca-de-Judas, e continuamos a nossa viagem; dou conta da visão que tive ao meu companheiro, que a explica, como a cara dele; chegamos a uma vila (cujo nome deixo no tinteiro), onde depois de tropeçar em uns artiguinhos constitucionais, que estavam na cadeia rolando pelo chão de envolta com os tamancos do carcereiro, subimos à casa da câmara e assistimos a uma sessão de júri, que fez o compadre Paciência ter ocasião de dizer cobras e lagartos contra os sábios patriotas adversários dessa instituição perigosa.

Não sei como serenou a exaltação do meu espírito depois daquela singular visão, de que felizmente me vieram arrancar os estrepitosos roncos do compadre Paciência.

O certo é que dormi.

Também não me admiro disso; os ânimos os mais exaltados serenam às vezes com qualquer coisa, e até com a aplicação de meios contraditórios. A uns, por mais furiosos e endiabrados que estejam, basta que lhes batam com o pé, e que lhes deem quatro gritos, ainda que seja em voz de falsete, para fazê-los tornar à razão e tomar uma atitude pacífica, ou guardar um silêncio muito significativo; a outros o som argentino e metálico de umas *onças*, que não arranham nem fazem mal a ninguém, acomoda perfeitamente; outros aplacam-se e tornam-se de água fervendo em água gelada, com a simples promessa de alguma *vara*, que nem mesmo é vara de pau; estes abdicam até do direito de *pensar* com o aceno de uma *pensão*; aqueles sufocam as fúrias, e esquecem a teima, quando os levam aos empurrões; alguns até, que têm excelência de *jure,* sossegam completamente recebendo *mercê.*"[41]

Segredos de organizações delicadas e nervosas! Ainda bem que a ciência tem descoberto e estudado em todas as suas *nuanças* estes segredos da organização humana, e ensina os meios de se tirar proveito

41. Jure: de direito. Mercê: nomeação para emprego público; provimento em cargo oficial. (N. da E.)

deles; se assim não fora, as arengas não teriam termo, nem certos ministérios conseguiriam arranjar maioria em certos parlamentos.

Talvez digam que os tais *meios* são um pouco atentatórios da dignidade do homem; mas eu entendo que isto de dignidade pessoal é muito relativo; se há homens que têm dignidade de homens, outros há que têm dignidade de cavalo, dignidade de carneiro, dignidade de serpente, dignidade de hiena, dignidade de ostra, dignidade de rato, e até mesmo dignidade de lesma; não creio, pois, que os tais *meios* sejam atentatórios da dignidade de ninguém, porque quem não tem, nem nunca teve, nunca perdeu, nem pode perder; e demais, contanto que a coisa vá indo, ainda que seja aos empurrões, pouco importa. "Os fins justificam os meios" e o mais é peta.

A minha exaltação serenou, como já disse, com os roncos do compadre Paciência, e eu ferrei num sono tão profundo, como o do ministro que teve fama e deitou-se a dormir! Bem se vê que não há, nesta comparação, indireta atirada a nenhum salvador da pátria; porque hoje em dia os ministros de estado andam tão ocupados consigo mesmos, e com os seus compadres e afilhados, que trabalham nesse patriótico mister vinte e cinco horas por dia, não lhes restando tempo algum para dormir, e muito menos para cuidar da pátria, cujos negócios, como são de todos, não são de ninguém, e portanto acham adiados indefinidamente até que apareçam os tolos, que não tratam de si.

Adormeci, pois, e dormia muito sossegado, e ainda estava o dia lá nas botas de Judas, quando fui obrigado a despertar aos gritos do compadre Paciência, e às marteladas que ele me dava na porta do quarto, como se a quisesse arrombar.

— Que é isso lá?... — bradei espantado!

— São horas de viajar;

— Ó compadre do diabo: não vê que ainda é noite fechada?

— As galinhas já desceram do poleiro, e o senhor, como homem da escola do *Eu*, deve regular todos os seus atos pelo que se passa no poleiro.

— Sim, mas eu me regulo pelo que fazem aqueles que estão no poleiro, e não pelo que praticam os que descem dele. Sou capaz de apostar que o amigo Constante ainda está no primeiro sono?

— O Marca-de-Judas é um representante da conciliação da barriga, e pode por consequência dormir até o *dia de juízo* sem o menor inconveniente para ele.

— E no *dia de juízo*?...

— No dia de juízo há de lhe ser preciso acordar mais cedo do que nós acordamos hoje, para atirar foguetes e girândolas aos novos santos da festa.

— Mas eu não acho razão plausível para nos pormos a caminho a horas em que ainda não se vê a estrada.

— Compadre, o que me parece é que o senhor pertence a uma certa qualidade de gente que nunca acha luz bastante para ver o que lhe não faz conta. Dizem-me que há repartições públicas, por cujas portas entram e saem escândalos vergonhosos do tamanho da arca de Noé, sem que os seus primeiros chefes tenham jamais luz suficiente nos olhos para vê-los. Dizem-me que há autoridades policiais que têm o pobre povo em uma suspensão de garantias perpétua, sem que os presidentes de província e ministros de estado tenham olhos para ver esse estado de miséria civil, esse estado de mentira constitucional, em que existe atenazada a população, para acudi-la uma vez ao menos com a bandeira da misericórdia. Dizem-me...

— Basta, compadre, basta! Tenho medo, que o seu *dizem* fique mais comprido do que os discursos do Marca-de-Judas.

— Está bem, não irei adiante com o que me *dizem*; mas quero sempre concluir asseverando-lhe que quem mais sofre com todas essas cataratas do governo é por um lado o povo, que padece, e por outro lado o tesouro público, que paga as favas; e o que eu peço a Deus é que a paciência dure mais no coração do povo do que o dinheiro nos cofres do tesouro.

— O compadre acordou hoje com mais meio palmo de língua!

— Pois se não quer que eu fale, toca a viajar.

— Homem dos meus pecados: que necessidade temos nós de andar fazendo madrugadas por esses caminhos afora?...

— Quem mais cedo anda, mais depressa chega.

— Nem sempre, compadre.

— Pelo menos assim deve em regra acontecer.

— Nego a pés juntos.

— E faz bem em negar a pés juntos, porque a lógica dos pés anda agora muito na berra; mas eu não me arredo do adágio antigo, e tenho dito.

— Não se deve, nem se pode resistir à evidência, meu caro compadre: regras, só matemáticas; todas as outras servem somente para fazer-nos dar cincadas, e perder no jogo! Diz vossa mercê que quem mais cedo anda, mais depressa chega; e eu sou capaz de apresentar-lhe trinta mil exemplos que contrariam a sua regra: lá vai um por todos: a independência do Brasil, que é uma coisa que, segundo dizem, já está feita, posto que eu não o saiba com certeza...

— Nem eu; vamos adiante...

— A independência do Brasil foi o fim de uma viagem política, que se fez em 1822; entretanto já no século passado o Tiradentes e os seus companheiros tinham-se posto a caminho para fazer a mesma viagem: e o que aconteceu ... o Tiradentes, que andara mais cedo, ficou enforcado na estrada!

O compadre Paciência fez uma careta, que eu julguei dever tomar por um sinal de respeito à minha lógica. Animei-me com esta primeira vitória e prossegui:

— O mais seguro é esperar sempre que o sol esteja fora para se viajar sem correr o risco de dar topadas no caminho, e até mesmo porque viajando-se em claro dia o caminhante pode colher os frutos que penderem dos ramos das árvores que bordarem a estrada. Compadre, Talleyrand, que foi o maior homem da sua época, e o mais feliz dos viajantes políticos, nunca teve pressa na sua vida, nem jamais se lembrou de acordar cedo para viajar; pelo contrário, tinha por princípio nunca fazer em um dia o que poderia fazer no seguinte: note que Talleyrand foi chamado o príncipe de *Benevento*, porque ele sempre esperava que lhe soprasse *bom vento* para transportar o seu barquinho de um porto para outro.

— E, por fim de contas, sempre velhacaria no caso!....

— Isto não é velhacaria, é prudência, ou habilidade política. Suponhamos que eu sou ministro de estado, e que amo a minha pasta sobre todas as coisas...

— Admito a hipótese, e tanto mais que paixões românticas, como essa que supõe, andam na última moda. Continue.

— Bem: suponhamos que eu sou ministro, ou mesmo que eu sou um ministério inteiro...

— Também admito esta segunda hipótese; porque há ministérios em que um ministro é o *tudo* e os outros *nada* são: é um *tudo* e *nada* no governo do Estado.

— Muito bem, sou eu pois um ministério inteiro, e vejo que há um partido que quer fazer uma viagem de um princípio velho para um princípio novo, isto é, que prega e sustenta uma ou algumas reformas ao mesmo tempo que outro partido, por conveniências pessoais, por medo, ou por convicção, se opõe a essa viagem política: que devo eu fazer...

— Pôr-se à frente dos viajantes, se julga a *coisa* conveniente ao Estado; ou francamente contrariá-los, e impedir a viagem, se a acredita perigosa ou má.

— Asneira, compadre! Se eu *andar* cedo, e a viagem burlar-se, adeus pastas! Se eu me opuser francamente à viagem política, e ela ainda assim realizar-se, adeus poleiro!

— E então?... nem peixe, nem carne: não é assim?...

— Melhor ainda: peixe e carne ao mesmo tempo; fico de espreita e sem mover-me; digo aos homens do progresso, ou da viagem: "andem lá, que quero ver se a estrada é boa", e se eles andarem, e a *coisa* for para adiante, espero um dia em que nem chova, nem haja sol muito quente, e soltando as rédeas ao meu bucéfalo, apanho os viajantes no caminho, ponho-me na frente deles, chego antes de todos, tendo saído mais tarde, torno-me — *herói* — e fico sempre abraçado com a minha querida *pasta*, que é um anjo cheio de feitiços e de encantos!

— E se a rapaziada viajante mandar que fique na retaguarda, o espectador político que vai tão tarde ajuntar-se a ela?

— Em tal caso volta-se as rédeas ao cavalo, suspendem-se as garantias, e manda-se trancar a reforma na cadeia, em nome da ordem pública; mas nunca se faz preciso tanto... a família dos tolos é tão fecunda que os velhacos têm sempre um mundo cheio de gente para enganar, e desfrutar.

— Isso é verdade, e tão verdade, que o senhor teve a habilidade de me ir entretendo com as suas extravagantes ideias até que se abriu o sol, e é dia claro!...

— Ainda bem! Agora tomemos uma xícara de café com o Marca-de-Judas, e ponhamo-nos ao fresco.

Saímos para a varanda da estalagem, e aí encontramos o amigo Constante, que, como se adivinhasse o meu pensamento, nos esperava com algumas xícaras de café e um prato de beijus.

Enquanto dávamos aquele excelente *bom-dia* aos nossos estômagos, o Marca-de-Judas pronunciou um novo discurso sobre o progresso material: é verdade que disse a mesma coisa que já umas poucas de vezes nos tinha repetido na noite da véspera; mas ainda nisso o bom do estalajadeiro provou que era um verdadeiro parlamentar, e que podia ser um deputado ministerial do *trinque*.

Da varanda da estalagem passamos à estrebaria: a mula ruça comia palha seca, e o ruço-queimado devorava uma pingue ração de milho: a minha conciliação tinha chegado até o meu cavalo...

O cavalo conciliado comia *milho*; estava em regra!

Chegou enfim o momento da despedida.

O amigo Constante fez uma cortesia muito desenxabida ao compadre Paciência, e correndo a mim, deu-me três meios abraços; foram meios e não inteiros, porque a barriga lho impediu: também escapei de um beijo, graças ao seu famoso nariz.

Mas não escapei da conta da despesa: o Marca-de-Judas enterrou os dedos nos meus seiscentos mil réis sem atenção nem piedade!

Não tenho remédio senão confessar uma coisa, e aqui vai ela: os tais políticos da barriga, quando se trata de dinheiro, não fazem cerimônia nenhuma, e lambem, se podem, até o último vintém que veem!...

Tive vontade de vingar-me do Marca-de-Judas, soltando um viva à oposição; não o fiz com vergonha do compadre Paciência que ria-se a bandeiras despregadas da catástrofe financeira com que terminara a comédia da minha *conciliação*!

Começamos a viajar: no primeiro quarto de hora guardamos um tão obstinado silêncio, que poderíamos parecer duas estátuas a cavalo; não sei por que o compadre Paciência estava, contra o seu costume, tão pouco disposto a tirar a ferrugem da língua; quanto a mim, levei todo o quarto de hora a pensar no desvergonhamento com que o Marca-de-Judas tinha roubado, com tanto escândalo, a um seu aliado político.

O cavalo de meu tio e a mula ruça do meu compadre iam marchando par a par no seu passo inalterável e constante: são dois animais *conservadores*, na extensão da palavra, e não admitem mudança, nem reforma no seu andar: a única diferença que neles observei nessa manhã foi que a mula ruça caminhava de pescoço estendido para diante, e sem fazer o menor movimento com a cabeça, enquanto o ruço-queimado voltava de vez em quando o focinho para trás, como se sentisse saudades da estalagem do sr. Constante. A razão disso era clara: uma tinha tido por ceia e almoço palha seca e as tábuas da manjedoura, ao mesmo tempo que o outro comera toda a noite capim fresco, e de manhã devorara uma *ração conciliatória de milho;* ora, como o ruço-queimado, à semelhança dos bons bebedores, que enquanto acham boa pinga não mudam de venda, estimaria ter-se deixado ficar na estrebaria do Marca-de-Judas, explicava-se sem dificuldade aquele impulso de gratidão que lhe fazia voltar o focinho para trás.

Era ao menos um quadrúpede sensível e agradecido, e assim como assim tinha um focinho que valia o dobro do coração daqueles homens que se esquecem dos obséquios que recebem e fingem desconhecer os benfeitores, quando não precisam mais deles: honra pois seja feita ao focinho do cavalo do meu tio.

Mas no fim do quarto de hora de viagem, ou porque me incomodasse aquele teimoso silêncio, ou porque me quisesse distrair e arrancar da triste lembrança do desencanto final da minha conciliação com o maldito estalajadeiro, abri a boca e disse:

— Compadre, é contra a minha natureza estar tanto tempo calado.

— Já se vê que a sua natureza há de lhe obrigar a dizer muita asneira.

— Seja assim: mas agora vou lhe dizer alguma coisa que não será asneira.

— Ninguém pode ser juiz em causa própria, meu caro; há homens que se *despacham* a si próprios, quando têm nas mãos as chaves dos despachos, o que é na verdade ser juiz de si mesmo; isso porém não deve servir de regra, por mais que seja moda do tempo.

— Compadre, quero lhe contar um caso que me aconteceu esta noite.

— Então que foi?

— Tive uma *visão*, compadre!

— Uma *visão*?!!!

— É verdade; e desejo que me ponha em trocos miúdos a extravagante embrulhada que sonhei acordado.

— Homem, cada um no seu ofício: não se encomendam botas aos alfaiates; explicações de embrulhadas, quem melhor lhas poderia dar era uma certa rodinha de *salvadores da pátria*, que têm embrulhado por tal maneira os negócios do Estado, que é uma verdadeira dificuldade achar quem venha depois deles desembaraçar a maranha política; mas, enfim, conte lá a história da sua *visão*, ainda que seja somente para fazer com que a viagem nos pareça mais curta.

Larguei as rédeas sobre o pescoço do ruço-queimado, e comecei a minha narração, descrevendo a singular procissão que eu tinha visto, com todos os *ff* e *rr*; à medida que eu ia falando, o compadre Paciência arregalava os olhos e deixava cair o queixo, de modo que quando fiz ponto final, já ele tinha o queixo tão caído que não lhe foi preciso abrir a boca para responder-me; tomou pois a palavra e principiou por este teor e forma a dizer cobras e lagartos.

— Pois é a isso que chama embrulhada? Oh! senhor! A sua visão é o quadro fiel da atualidade; e em vez de considerá-la um sonho extravagante e atrapalhado, considere-a, pelo contrário, uma verdade simplicíssima, evidentíssima, que está entrando pelos olhos de todos.

— E que ainda não entrou pelos meus!

— Porque não há pior cego do que aquele que não quer ver: pergunte aos ministros de estado se enxergam os abusos, os despotismos e as atrocidades que praticam os agentes do poder?... aquelas alminhas inocentes veem sempre toda a sua família oficial e policial andando cuidadosa e passo a passo pelo caminho da lei, quando o país inteiro brada que muitos membros dela desencabrestam pelas charnecas e pelos espinhais do arbítrio, jogam e escoiceiam como burros bravos, e atolam-se até as orelhas nos lamarões da corrupção.

— Deixe-se de ministros, e da família oficial e policial, compadre; e vamos ao meu caso.

— Essa é boa! Pois se o seu caso diz respeito muito de perto aos ministros e aos seus agentes, como quer que eu me deixe deles?

— Mas explique-me antes de tudo a visão que tive, depois fale, ralhe e malhe quanto quiser.

— A coisa está tão clara que não precisa explicações; mas, enfim, lá vai tudo em duas palavras: a sua visão quer dizer que é efêmero, falso e insubsistente todo o progresso material que não se demonstra a par do progresso moral do povo; quer dizer que nas épocas desastrosas em que se faz da corrupção um sistema político, ou um meio de governo, os homens do *Eu*, que se acham de cima, declaram-se amigos e patronos dos interesses materiais, pregam a sua excelência sobre todas as questões de princípios; porque sabem que o materialismo político mata o espírito público, que é a alma dos povos livres, e a enxada que abre a cova dos ministérios corruptos.

— Compadre, a sua explicação está ainda mais embrulhada do que a minha visão! Eu falo-lhe em alhos e o senhor responde-me com bugalhos! Eu trato de progresso material, e o senhor atordoa-me os ouvidos com essa frioleira de progresso moral do povo!... O que tem o governo com a moral do povo?... A moral pertence à alma, e por consequência os padres que se avenham com ela; o governo do Estado não tem nada que ver com isso; governa-se sem moral, compadre, e...

— Há exemplos disso, é verdade; mas cá na minha língua, um governo sem moral chama-se desgoverno, *verbi gratia.*[42]

— Alto, a sua *verbi gratia* vem com jeito de faca de ponta; e eu não sou homem que consinta que à minha vista se ofenda os meus amigos políticos. Vamos à questão.

O compadre Paciência prosseguiu então dizendo:

— Eu também estimo, louvo e quero o progresso material: que alma danada haverá aí que não almeje ver o nosso país bordado de belas estradas, cortado de extensos canais, com suas mais longínquas

42. Por exemplo; a saber. (N. da E.)

províncias ligadas e aproximadas pelo encanto das vias férreas, com os seus mares e os seus rios sulcados por dez mil ou por cem mil vapores, com os seus desertos povoados de colônias, com as suas riquezas minerais aproveitadas, com todas as suas cidades,vilas e aldeias iluminadas a gás?... quem não desejará calçadas em todas as ruas, aterros em todos os pântanos, pontes em todos os rios?...

— Por consequência, tem razão o Marca-de-Judas: viva o progresso material!...

— Viva, sim, não há dúvida nenhuma, senhor compadre; mas viva também e indispensavelmente outra coisa...

— O que mais?...

— Viva o progresso moral e político!

— Isso é birra de revolucionário!

— Não; é porque sem eles todo o progresso material, ou é uma mentira, ou uma ilusão ou dá com a nação em vaza-barris, e enfim não presta para nada.

— Petas, meu caro. A única realidade desta vida é a riqueza: quem tem dinheiro, tem tudo: um povo rico é sempre um povo feliz!

— Sublime princípio! É um princípio ensinado na escola de que é mestre o diabo; ensaiemo-lo porém na prática, e tomemos para exemplo um homem. Faça de conta que tem diante de seus olhos um homem que tenha amontoado riquezas fabulosas, que possua milhares de milhões em seus cofres, que seja senhor de cem palácios maiores do que o do imperador da China e do dairi do Japão; que veja ao seu aceno moverem-se vinte mil escravos: eis por consequência um homem verdadeiramente feliz!

— Quem me dera! Ficava eu sendo logo bonito, engraçado, sábio e benemérito da pátria!

— Espere, que ainda não acabei. Faça agora também de conta que esse homem é desmoralizado e corrupto; que vive a vida da devassidão e da crápula, e que naturalmente em resultado dessa vida de vícios e de vergonhosos excessos, estragou a saúde, e reuniu em seu corpo um composto de todas as enfermidades: ei-lo curtindo dores desde a manhã até à noite; ei-lo paralítico, tísico, coberto de úlceras, sem poder engolfar-se nos banquetes, nas orgias, na devassidão, como dantes, e vendo cada dia abrir-se a sepultura que o deve tragar. Que diz a isto, compadre?...

— Digo que arranjou um quadro lúgubre!

— Pois é este o retrato de um povo rico, mas desmoralizado.

— Nego a consequência: se o argumento procede a respeito de um homem, pode não proceder a respeito do povo.

— Oh! Pois não! Cheguem todos os nossos melhoramentos materiais ao seu maior desenvolvimento, tudo isso será vão, e quimérico, se a moralidade pública não for regenerada, e se a verdade do sistema representativo não for restaurada. Sabe o que há de acontecer?... Por um lado, à medida que aumentar a riqueza pública aumentará também a fome dos parasitas do Estado, e se multiplicará o número das sanguessugas da nação; a prevaricação mostrará sempre o fundo do tesouro público; a riqueza será o privilégio exclusivo de cem espertalhões, ao mesmo tempo que a miséria cobrirá de andrajos a milhares de inocentes; o exemplo dos crimes impunes centuplicará a falange dos criminosos, e o veneno que corromper o coração do Estado cairá um dia no seio das famílias, e a desmoralização tocará o seu auge; e por outro lado o sistema representativo que, graças a Deus, nos foi dado, arrancado de seus eixos, não podendo fazer o bem que devia, e podia, transtornado, sofismado, convertido em uma coisa que ninguém entenderá, servindo de base ao poder oligárquico de um círculo egoísta, desacreditar-se-á na opinião do povo, que não raciocina, e que lançará sobre o sistema as culpas dos desorganizadores do sistema: o caos político substituirá a ordem, a descrença mirrará o coração do povo, que não tendo mais nem fé, nem esperança, acabará também por não ter caridade, passará da descrença ao desespero, e depois...

— Acabe...

— Compadre, do desespero do povo a uma revolução há só um passo a dar, e desde que o vulcão revolucionário prorromper os melhoramentos materiais, as fontes da riqueza pública, as verdades e as mentiras, os bons e os maus, tudo enfim ficará à mercê de Deus. Oh! sim!... Não basta o progresso material; é preciso também progresso moral e político; é preciso sobretudo que se moralize o povo, e para isso é essencial que se moralize a si próprio o governo em primeiro lugar.

— *Difficilem rem postulasti!*[43] O nosso governo é essencialmente governo das *maiorias*: e como quer o compadre que os ministérios se moralizem, se lhes é necessária a desmoralização para arranjar *maiorias*?...

— Patriotismo, honra e boa vontade sobram para levar ao cabo essa obra. Dizia-se que a cessação do *tráfico* de africanos era um impossível, e quando o governo.., quis (sou brasileiro: devo dizer que o governo quis) o tráfico acabou; diz-se que o patronato é invencível entre nós, e vimos no fim de 1854 e no princípio do ano de 1855 bater-

43.Postulaste coisas difíceis [de conseguir]. (N. da E.)

se com a porta na cara do patronato, nos exames de instrução pública da capital do Império. Nada é impossível debaixo deste ponto de vista a um governo patriótico e honesto: quando o governo entender que as *maiorias* devem ser formadas pela opinião e pela consciência, e devem ter por laço a homogeneidade de princípios, os ganhadores políticos serão mandados plantar batatas, os homens de bem se farão poderosas colunas do governo, e metade da obra da regeneração da moralidade pública estará feita.

— Bravo! Tem pregado como um frade velho! Mas creia que os peixinhos não caem na isca: as suas teorias servem muito bem para a família dos Sócrates; mas a família do *Eu* não entende pitada da sua geringonça.

O compadre Paciência já não me escutava; e continuou entusiasmado:

— Quando o progresso material de um país não se mostra a par do progresso moral do povo, não exprime senão uma prosperidade fictícia. Riqueza material cobrindo miséria moral, é o mesmo que uma árvore que apresentasse a casca verde e que tivesse o miolo podre: é a alegria da embriaguez durante dez ou vinte anos, para ser logo depois seguida de séculos inteiros de humilhação e de vergonha. Quando o progresso material de uma nação aparece em sua marcha de braço dado com o progresso moral, isto é, quando a riqueza se desenvolve, e ao mesmo tempo se aprimora a virtude, e se purificam os costumes, então há verdadeiro progresso, há o progresso de Deus; mas se, pelo contrário, somente se dá importância ao dinheiro e aos melhoramentos materiais quando, nesse caso, o que se diviniza é só a matéria, e se vai deixando corromper cada vez mais os costumes, estragar de todo a moralidade pública, e cair em desprezo a religião, as instituições políticas e as grandes inspirações do amor da pátria, da liberdade, da glória, e de tudo quanto é nobre, grande e generoso; oh! então não há senão um progresso falso, pérfido e fatal; não há senão o progresso do diabo, que é o que nos querem dar.

— Já acabou com os seus *quando*?

— Ainda não. Lá vai mais um, que há de levar água no bico: e quando ao contemplar a minha pátria, a par de tanta coisa boa, no que diz respeito ao *material*, eu sinto as tendências que mostram alguns figurões para arrancar ao povo as conquistas gloriosas do sete de setembro, e do vinte e cinco de março; e vejo que a Constituição do Império nos garante a imprensa livre, e sinto que nos querem amarrar a imprensa às *varas dos juízes de direito*; e vejo que a Constituição do Império nos garante o júri, e sinto que pela sorrelfa nos querem surrupiar o *júri*; e vejo que se tem feito da eleição uma peta, da harmonia dos poderes do Estado outra peta, da inviolabilidade do asilo do cidadão outra peta, da municipalidade outra peta, da guarda nacional outra peta, da liberdade individual outra peta, e do sistema representativo, falseado, como está, uma grande peta que resume todas as outras petas; ponho-me de orelha em pé, compadre, e digo cá comigo: ai! que este progresso material, que hoje tanto se preconiza, traz dente de coelho, e é preciso cuidado com ele!...

— Mas que diabo tem uma coisa com outra, meu caro Paciência?...

— É que os maganões que aspiram à eternidade do poleiro estão, segundo penso, nos atirando terra nos olhos: ajunte a tudo isso que acabo de dizer a corrupção, que lavra por toda a parte, a corrupção, erigida em sistema, a corrupção tão forte, tão poderosa, que até já invadiu os domínios da gramática, e vai desnaturando por sua conta e risco as palavras, como sucedeu à pobre e doce palavrinha — *conciliação* —, que, ao contrário do que era Dante, transformou-se atualmente em uma *palavrada*, que faz subir o sangue ao rosto da gente honesta: sim! Ajunte a tudo isso a corrupção com que se envenena o sangue e se estraga o coração do povo, e diga-me cá se o *progresso material*, em que tanto se fala, é ou não é também uma famosa dose de ópio político, com que os homens da tal escola do *Eu* pretendem fazer dormir o povo para com menos perigo aliviá-lo do *peso de algumas de suas instituições*, sem receio de vê-lo abrir a boca, e pôr-se a gritar "ah que d'El-Rei!" o que na verdade seria muito desagradável, porque *si le roi le saurait*!...

— Brilhantemente, compadre!... Morra portanto o *progresso material*!

— Isto lá é consequência de cabo de esquadra: abram-se as asas ao progresso material; mas trate-se também de regenerar a moralidade pública, que anda aí pelas ruas da amargura; restabeleça-se o sistema representativo, que está fora dos seus eixos; tornem-se reais e efetivas as garantias do povo, não se atropelem seus direitos nem se faça guerra crua às suas sagradas instituições, e verão os prodígios e milagres que opera a nossa sábia Constituição, a quem o sr. D. Pedro I encheu de tantos encantos e beleza, e contra quem pela surdina forjam planos de ruína e morte alguns ingratos, que ela elevou e distinguiu, e que a não ser ela, em vez de andarem, como andam, em carros magníficos, fazendo brilhaturas e espalhafato na cidade, talvez andassem como eu de Herodes para Pilatos, montados em alguma mula ruça semelhante à minha.

O compadre Paciência fez ponto final, e eu, perdendo a esperança de ver por ele explicada a minha singular visão, entendi que lhe não devia dar mais corda; esquecerei pois a minha visão, progresso material ficará sendo um sonho, e nada mais. Estou arrependido depois que não me dirigi ao Marca-de-Judas para dar-me a explicação desejada: o meu compadre é um tolo, e o Sr. Constante um genuíno representante da política que domina, e das ideias que governam; ele portanto poderia me pôr ao fato dos segredos de abelha do progresso material.

Este meu compadre improvisado é um pobre homem, que tem a cabeça cheia de teias de aranha, e agora deu-lhe a mania para andar proclamando que a corrupção dos povos nasce de cima, e que o nosso povo vai se desmoralizando cada vez mais por culpa do governo, que dá os mais fortes exemplos de desmoralização, infringindo e postergando todos os dias a Constituição e as leis do Império.

Não se diz maior asneira!... Eu até nunca vi governo que consagrasse mais religioso acatamento à tal importuna *defunta*, e a essas trapalhadas políticas, a que se chama — leis.

Quando os *inimigos da ordem pública*, tratando de hostilizar o nosso paternal governo, esquecem as *declamações,* em que são grandes, e descem aos fatos, espicham-se tão completamente, como o cavalo de meu tio no atoleiro da *barreira*! Ora vejamos alguma coisa do que eles dizem.

Primeiro: o governo não pode despender os dinheiros do Estado, senão conforme as disposições do *orçamento da despesa* e entretanto alimenta as lâmpadas da imprensa ministerial com o azeite dos cofres do tesouro, sem haver *verba* marcada para a *conciliação* dos jornais políticos. Resposta sem réplica: o *orçamento* marca uma quantia para se gastar com a repressão do tráfico; ora, o tráfico de africanos não se combate só com a força, mas também com o raciocínio; logo pode o governo dar dinheiro a mancheias aos seus publicistas, a fim de animá-los a combater o tráfico: agora se os tais publicistas não se ocupam disso, a culpa não é do governo, que foi dirigido pelas mais *santas intenções*.

— Mas hoje já se ostenta à face do parlamento essas despesas ilegais, feitas com a imprensa!

— Qual!... isso havia de ser brincadeira, ou lapso de língua: a língua é o diabo! não falemos nela: vamos adiante.

Segundo: a lei é igual para todos, e entretanto o governo açula com a impunidade, e até com honras, que confere a ricos potentados eleitorais, que atropelam, trucidam e sacrificam os pobres, de quem julgam dever tirar vinganças às vezes sanguinolentas. Resposta sem réplica: o artigo da defunta, que diz que a lei é igual para todos, acaba dizendo que recompensará em proporção os merecimentos de cada um, e portanto o governo está na letra da constituição recompensando com a impunidade o merecimento da riqueza e da influência eleitoral.

— Mas os pobres...

— Quem é pobre não tem *mandinga.*

Vamos adiante.

Terceiro: a Constituição diz que "nenhum cidadão pode ser obrigado a fazer ou deixar de fazer alguma coisa senão em virtude da lei": e entretanto o empregado público é obrigado a votar nas eleições com o governo, sob pena de uma demissão; o juiz de direito a cabalar a favor do governo, sob pena de uma remoção; e o guarda nacional a ser portador de uma lista do governo, sob de ser destacado, recrutado, e posto fora da lei. Resposta sem réplica: 1ª, o governo ainda não deu por causa de nenhuma demissão ou remoção o emperramento e a desobediência do empregado público ou juiz de direito que não querem votar com ele; nem as autoridades subalternas confessaram jamais que destacam, recrutam ou põem fora da lei aos guardas nacionais pelo fato de votarem livremente; 2ª, em tempos de eleições suspendem-se as garantias da honra, da probidade, e também a Constituição.

— Mas isso é desmoralizador, é indigno...

— E como tudo, é uma verdade muito verdadeira. Vamos adiante.

Quarto: a Constituição diz que "ninguém poderá ser preso sem culpa formada, exceto nos casos declarados na lei, e nestes dentro de 24 horas contadas da entrada na prisão o juiz, por uma nota por ele assinada, fará constar ao réu o motivo da prisão etc."; e entretanto a polícia, que é hoje a alma do governo, prende a quem quer, e deixa jazer a quem quer nas prisões por oito, dez, vinte, e mais dias, a pretexto de *averiguações,* e depois solta a vítima, sem lhe dar satisfação. Resposta sem réplica: a polícia quando manda para a cadeia um cidadão, e lá o conserva de molho o tempo que lhe parece, *não prende, recolhe* simplesmente à prisão, o que é muito diferente, e por consequência está na terra da Constituição; e viva a polícia!

— Mas a polícia é entre nós o despotismo vivo..

— E é por isso mesmo que ela é hoje a alma do governo. Vamos adiante.

Quinto: a Constituição diz que "todo cidadão pode ser admitido aos cargos públicos, civis ou militares, sem outra diferença que não seja dos seus talentos e virtude"; entretanto o governo despreza mil vezes os talentos e as virtudes para atender somente à diferença marcada pelo patronato e espírito de afilhadagem. Resposta sem réplica:

virtudes e talentos são coisas muito relativas, e o que não é talento nem virtude para uns, pode sê-lo para outros; portanto, motivo justo para se fazer bulha haver ministros que considerem o *servilismo* uma virtude, e uma carta de recomendação ou um empenho de compadre, uma prova de talento arromba-paredes.

— Mas assim o verdadeiro talento e a verdadeira virtude são desprezados...

— Pois que o talento se resolva a dizer *amém* a tudo, e a virtude, que anda tão *por baixo*, não se atreva a dar *maus exemplos* que ofendem o vício que está *de cima*. Vamos adiante.

Sexto: diz a Constituição que "os poderes constitucionais não podem suspender a Constituição no que diz respeito aos direitos individuais, salvo em certos casos extraordinários, que são especificados"; e entretanto não só os ministros de estado e a polícia na cidade, mas ainda qualquer subdelegado da roça trazem em perpétua suspensão certos direitos individuais dos cidadãos brasileiros. Resposta sem réplica: petas da vida!

— Mas os fatos...

— Qual *mas,* nem fatos! Vivemos todos no seio de Israel: e paremos aí no *sexto,* mesmo porque a tal senhora Constituição deve ser atirada em um *cesto velho,* como coisa que já não presta para nada, ou como um livro cheio de asneiras e de impiedades, que caiu em desuso, e foi comido *pelos bichos.*

Assim, pois, ficou provado que não há governo que execute as leis mais à risca do que o nosso. Eu até não compreendo que haja quem ponha em dúvida o respeito religioso que o nosso governo consagra aos direitos do povo; porque a *defunta* estabelece, no seu art. 179, que a *inviolabilidade dos direitos civis e políticos dos cidadãos brasileiros tem por base a liberdade, a segurança individual e a propriedade;* e o nosso governo tem tal zelo pela *liberdade,* que é o primeiro a dar o exemplo *dela,* não fazendo caso das leis, que são peias e, pondo e dispondo de tudo muito *livremente,* a despeito dos limites marcados ao seu poder, desvela-se tanto pela *segurança individual,* que tem até uma polícia que conserva os cidadãos na cadeia sem culpa formada para *segurar os indivíduos* mais completamente, e enfim venera tanto a *propriedade,* que mesmo a seus olhos o tesouro público tem contribuído, não poucas vezes, para o engrandecimento e fabulosa prosperidade de muitas propriedades.

E querem um governo ainda mais constitucional?... isto só pau.

Quem tem culpa dos ralhos e da algazarra dos revolucionários é mesmo o governo dos meus amigos, porque tolera que no país ainda se fale e, embora só em nome, ainda também exista a maldita *Constituição:* em minha opinião, desde muito tempo que eu tinha mandado às *favas* as câmaras, e dado de presente a algum fogueteiro fazedor de bombas todas as coleções das leis do Império; desde muito tempo que eu tinha proclamado clara e francamente o absolutismo (bem entendido, o absolutismo dos ministros); mas, dizem os meus amigos que é melhor um absolutismo encapotado do que um absolutismo nu e cru e que sem o proclamar, como eu quisera, clara e francamente, vão eles sofismando e calcando aos pés a Constituição e todas as leis, e fazendo tudo quanto poderiam fazer em um governo despótico e arbitrário, como o da Turquia ou o da Rússia. E o mais é que eu devo ceder à razão; porque os tais amigos são mestraços passados por Índia e Mina, e têm-se arranjado às mil maravilhas com o sistema que seguem e empregam.

E pensando bem na nossa *geringonça* política, é preciso confessar que para termos a glória de viver debaixo de um governo absoluto, só falta dar o nome de absoluto ao nosso governo. O que há de mais absoluto e onipotente do que a vontade dos nossos ministros?... Em que época foi que a sorte dos cidadãos brasileiros esteve mais do que hoje à mercê das vinganças e dos caprichos dos agente do poder?

A polícia não trancafia na cadeia, quando isso lhe apetece, um ou dez, ou vinte, e mais venturosos súditos deste Império constitucional?... Não os conserva presos, sem formar-lhes culpa, dias, semanas, meses, e ao soltá-los, quando eles têm o desaforo de perguntar pelos motivos de sua prisão, não os *manda bugiar*, e a coisa não fica nisso?...

Um coronel de legião da guarda nacional, que está à janela, de barrete na cabeça, de capote nos ombros, de charuto na boca, acreditando-se talvez com a sua patente impressa na ponta do nariz, não manda atirar com os ossos em uma prisão ao oficial da mesma guarda nacional, que vestido à paisana passa por defronte de sua casa, e não lhe faz a continência militar?... e quando o *malvado* oficial se queixa ao ministro de estado, o excelentíssimo pai da pátria não lhe responde: "é bem feito, sô brejeiro! Oito dias de prisão não bastavam; ainda foi pouco; e se para outra vez se esquecer da continência... olhe a chibata!"...

A polícia em um dia de eleição não dá a voz de *fogo*! contra o povo, que quer *votar*?... A voz terrível não é obedecida, e as balas não acertam nos principais adversários da política do governo?... Não sucumbem vítimas, e o crime da polícia não fica impune, sendo pelo contrário perseguidos os amigos dos assassinados?...

Os deputados da nação, que devem fiscalizar os atos dos ministros, não andam em grande número agarradinhos às abas das casacas bordadas dos mesmos ministros, como se fossem mariscos apegados ao costado de tubarões, ou como rabo-levas de suas excelências?...

O júri não está com uma corda ao pescoço, e cai não cai de cima do patíbulo, e debaixo dos pés de seus algozes?

A imprensa não está cheirando a azinhavre?...

A magistratura não é, salva as exceções revolucionárias, uma espécie de relógio que anda conforme a corda que lhe dá o poder executivo?...

Os delegados e subdelegados de polícia não são por aí além uns reizinhos pequenos, que tudo fazem e decidem com um *quero, posso e mando,* que faz a gente andar com a sua liberdade, honra e, vida, *libertas, decus, et anima nostra,* dependuradas por um cabelinho na ponta da espada policial?

Não há dúvida! Os *mestres* têm juízo a fartar: o endiabrado sistema constitucional está não distante de nós, como a vergonha se acha afastada da corrupção; graças aos pais da pátria temos o santo absolutismo na terra; por causa das dúvidas anda encapotado; mas o diabo é que, quase sempre, pela maneira do capote lhe escapa e se estende pela rua um rabo tão comprido, como... como... tal e qual como o rabo de certos heróis, que todos nós conhecemos.

A consequência de tudo isto que acabo de dizer é que neste nosso Brasil temos aparentemente, isto é, de língua, *constituição* até não poder mais; e realmente, isto é, na prática, absolutismo até mais não poder: e uma coisa por dentro e outra por fora, e portanto dá-se o caso de se repetir os versinhos:

Por cima muita farofa,
Por baixo molambo só!

Eu sempre tiro as minha consequências muito a tempo: ora aí está que agora não me seria possível ir adiante com as minhas reflexões; porque acabo de avistar uma povoação, em que vou entrar com o meu compadre Paciência.

Esta povoação é uma *vila,* e não digo o seu nome, por uma boa e forte razão: quero acostumar-me pouco a pouco a não dizer em certos casos o verdadeiro nome das coisas; pois que do contrário eu me veria obrigado a escrever na *Carteira de meu tio* muito nome sujo para designar pessoas e coisas da minha terra.

Entramos pela vila adentro, e fomos apear-nos à porta de uma estalagem, cujo dono, apesar de andar muito azafamado da sala para a cozinha, porque estava com a casa cheia de fregueses, nem por isso deixou de fazer-nos trinta cortesias e de asseverar-nos que havíamos de ser tratados à *fidalga*; e ainda para não fazer uma exceção à regra de que todo estalajadeiro é contador de histórias, achou tempo para dar-nos miúdas notícias da sua terra, enquanto almoçávamos.

Ficamos sabendo que nesse mesmo dia tinha de abrir-se o júri na vila, o que fez arregalar os olhos ao compadre Paciência, o qual apenas engoliu o último bocado, obrigou-me a levantar-me da mesa e a sair com ele a passear.

Assim que pusemos os pés na rua, vimos uma patrulha de guardas nacionais, que ia à cadeia buscar os presos. O meu embirrante compadre teve a ideia de ir visitar os domínios do carcereiro, e a despeito da oposição que fiz a esse estúpido desejo, força foi sujeitar-me a ele.

Entramos na cadeia, e devo confessar que senti assim uma espécie de arrepios ao transpor o repulsivo limiar; foi simplesmente um fenômeno nervoso e mais nada; porque eu sei muito bem que as cadeias não são edificadas para homens da minha qualidade para cima.

E senão, haja vista o que vai por todo esse mundo.

O miserável farroupilha, que tem a pouca vergonha de furtar uma galinha do poleiro do seu vizinho, é trancafiado na cadeia, onde fica por largo tempo esquecido, quando não tem um padrinho que por ele se interesse; mas o figurão de gravata lavada que em dois ou três anos e por artes de berliques e berloques se improvisou milionário, sem poder explicar donde lhe veio a fortuna, anda de carruagem, mora em um palácio, todos lhe dão *excelência*, e ninguém o incomoda; o que tudo é muito bem feito; porque a cadeia é destinada para os ladrões, e ladrão é somente quem furta pouco.

O indigno caixeiro ou a canalha artística que conseguiu agradar à filha ou sobrinha de um homem rico, e que apenas de longe a namora, ou que se atreve a mandar-lhe uma cartinha de amores, quando lhes descobrem a trapalhada amorosa é logo recrutado, ou caem-lhe com o ano de nascimento em cima, e mandam-no para a cadeia por qualquer crime policial que se arranja; mas o velho milionário libidinoso, ou o desregrado filho do rico, salta pela janela da casinha do pobre, mancha-lhe o leito nupcial, rouba-lhe, pelo prazer brutal de um instante, a única riqueza da filha, lança a desordem e a infâmia no seio da família, e depois conta como uma vitória o crime, e aqueles que o devam punir, dizem sorrindo-se, quando ele passa — *que maganão de bom gosto!* — e a coisa fica nisso, e deve na verdade assim ficar; porque se a riqueza não desse direito a tão inocentes gozos, então os ricos e os pobres, a *canalha e o fidalgos* seriam iguais, o que fora um verdadeiro absurdo social.

Encontram-se na rua um capitalista e um carpinteiro, que têm contas atrasadas um com o outro: o primeiro diz uma léria ao segundo, o segundo responde somente: é você!, travam-se de razões, o capitalista vira inglês e dá um soco: o carpinteiro, que é naturalmente capoeira, paga o soco com uma cabeçada: ferram-se ambos à unha, e chega então o inspetor de quarteirão; o que acontece?... o carpinteiro leva uma descompostura, e vai dormir na cadeia, e a autoridade pública pergunta ao capitalista se quer servir-se de uma escova para limpar a casaca. É verdade que o inspetor nem ao menos procurou saber como se tinha passado o negócio, e mandou logo o operário para o xilindró; mas também o capitalista foi horrivelmente castigado; porque o delegado, quando soube do caso, observou a S. S. ou Exa., que não era bonito andar-se sujando com semelhante gente.

Se eu fosse a dar provas da justiça com que se abrem as portas da cadeia para entrarem nela todos os verdadeiros criminosos, enchia só com isso a *Carteira de meu tio.*

Vamos adiante.

A cadeia em que eu e o compadre Paciência acabávamos de entrar se compunha toda ela da sala do carcereiro, que servia também de *sala livre*, onde ninguém se achava preso; de uma espécie de xadrez, onde eram recolhidos os guardas nacionais que cometiam, principalmente, os dois seguintes crimes: 1°, não votar nas eleições na chapinha dos comandantes, 2°, não tirar o chapéu aos oficiais a vinte braças de distância; e, finalmente uma terceira sala escura, suja, pestífera, onde estavam aglomerados todos os presos acusados de crimes afiançáveis e inafiançáveis, que tinham de apresentar-se ao júri: era a enxovia.

O compadre Paciência quis arrastar-me para a enxovia; mas eu arranquei-me de suas mãos, e recuei diante da porta fatal: aquela sala, que talvez não se tivesse varrido há anos, exalava um cheiro nauseabundo e empestado; os presos respiravam um ar pesado, mefítico e pestilencial; cada preso respirava por sua vez a porção de ar já respirado mil vezes por todos os outros!

O compadre Paciência achou que era boa ocasião de tomar a palavra e começou:

— Aí dentro dessa imunda casinha existem talvez alguns acusados de quem o júri reconhecerá a inocência daqui a pouco; como não deverão esse inocentes aborrecer uma sociedade, que antes de certificar-se do crime que lhes imputavam, os confundiu com os facinorosos, e os envenenou fazendo-os respirar o ar da peste?... e ainda mesmo que todos esses míseros presos sejam criminosos e celerados, que direito tem a sociedade de tratá-los de um modo tão indigno e brutal?... Aí nessa enxovia corrompe-se e perde-se de um vez para sempre o homem que imprudente cometera o primeiro delito, e que arrependido e moralizado talvez pudesse ainda ser útil à sociedade, que estupidamente o estraga: aí nessa enxovia condena-se o corpo às enfermidades, a alma à imortalidade! aí...

Não pude sofrer por mais tempo o sermão do compadre Paciência, e retirei-me para o xadrez dos guardas nacionais; tão cego e tão apressado vinha, que dei uma topada em um par de tamancas: eram as tamancas do carcereiro, que nesse dia tinha calçado as botas domingueiras, e deixado os socos do seu uso ordinário; o que porém atraiu por acaso a minha atenção foram umas pequenas páginas impressas, que estavam caídas e desprezadas entre as tamancas.

Tive vontade de ver o que continham os tais papeizinhos, e apanhei-os: coisa célebre! Vi diante de meus olhos algumas páginas soltas da *Constituição e de outras leis,* que tinham provavelmente feito parte de alguma folhinha dos Srs. Laemmert, que, aqui para nós, são homens na verdade perigosos, infensos à ordem pública, visto que têm o mau costume de vulgarizar esses códigos e leis que falam em direitos do povo, e em deveres do governo, e outras bugiarias semelhantes.

E, coisa mais célebre ainda!..., as malditas páginas continham artigos da nossa *defunta*, da lei da guarda nacional, etc. etc., que pareciam vir tão a propósito para o caso em que nos achávamos, que não posso resistir ao desejo de transcrevê-los na *Carteira de meu tio,* ao menos para recordar-me e aplaudir-me do desprezo em que são tidos, e do nenhum caso que merecem:

Aí vão essas fantasmagorias legislativas, e constitucionais.

Constituição do Império: artigo 179.

§ XXI: As cadeias serão seguras, limpas, e bem arejadas, havendo diversas casas para separação dos réus, conforme suas circunstâncias, e natureza dos crimes.

Olhei para a enxovia e soltei uma gargalhada!

Lei do 1º de outubro de 1828: Título II — Funções municipais
Artigo 57: Tomarão por um dos primeiros trabalhos fazer construir ou consertar as prisões públicas, de maneira que haja nelas a segurança e comodidade que promete a Constituição.

Tornei a olhar para a enxovia e a soltar nova gargalhada!

Lei da Guarda Nacional — Capítulo II:
Artigo 116: A pena de prisão imposta aos oficiais, oficiais inferiores, cabos e guardas nacionais, só será cumprida nas cadeias públicas, onde houver fortalezas, quartéis, casas de câmara, ou outros edifícios que se possam destinar a esse fim.

Ia-me escapando uma terceira gargalhada; mas contive-me a tempo, vendo chegar o compadre Paciência, que, se descobrisse o motivo da minha estrepitosa alegria, dava decerto o cavaco, e era até capaz de declarar guerra de morte àquelas pobres e democráticas tamancas, que ali estavam pisando artigos da Constituição e das leis do Império, como se fossem botas envernizadas e aristocráticas de algum ministro ou alto funcionário do Estado.

Vejam só a que extremo nos têm levado as teorias da *igualdade política*, que já os carcereiros se julgam com direito de fazer o mesmo que fazem os fidalgos do poleiro!

— Vamos assistir ao júri — disse-me o compadre Paciência.

— Ao júri?!!! — exclamei eu recuando dois passos.

— Pois que mal haverá nisso?... Será essa bela e santa instituição algum bicho-de-sete-cabeças?...

— Tem razão, compadre: lembro-me agora de que o homem da hospedaria nos anunciou que hoje se instalava o júri; declaro, porém, que já supunha banida para sempre da nossa terra essa intolerável judiaria.

— É certo que esteve quase não quase indo fazer companhia à defunta guarda nacional e a outras defuntas do mesmo gênero; mas felizmente, quando mais azafamados se mostravam os estadistas mata-júri, apareceu um gênio benéfico com uma *vassoura* encantada, que varrendo as ideias retrógradas deixou os salvadores da pátria com água na boca! Olhe que foi uma dos diabos!...

— Mas como é possível que...

— Ora, como é possível?!!! Você nunca ouviu dizer que galinha, quando vira o ovo, por mais que se acaçape, acocore, se arque, e se esforce, não põe?... pois aí está, como foi: desta vez a galinha virou o ovo.

— Não creio nessa, compadre; os homens da escola sublime, e da política dos caranguejos, não recuam.

— Você não sabe o que diz, menino: a política dominante é uma espécie de período gramatical, que tem oração principal e orações subordinadas e incidentes: quem queria matar o júri era uma oração incidente, e você deve saber que a gramática dá pouca importância às orações incidentes, e o período pode passar sem elas.

Por consequência...

Por consequência, a *incidente* ficou entre parênteses; a *principal* deixou-a com cara de noivo logrado; as *subordinadas* riram-se do *espicha*; e o júri salvou-se acolhendo-se à sombra das *vassouras*. Não há nada mais claro.

— Pois foi uma horrível calamidade para o nosso país! O júri é uma instituição imoral e perigosa; imoral porque muitas vezes um homem de gravata lavada, um barão por exemplo, está sujeito a ser julgado por um calafate!...

— E então?... se o calafate tiver as qualidades exigidas pela lei para ser jurado?...

— Mas os calafates, os pedreiros e todos os artistas não devem nunca estar no gozo dos direitos de cidadão brasileiro, senão para serem guardas nacionais e votar nas eleições na chapa da polícia, que é sempre a melhor.

— Bravo! Isso é ideia de fidalgo novo, que é sinônimo de patuleia de velho.

— E, além de imoral, o júri é uma instituição perigosa; porque no caso de uma revolução política, quando o governo entenda que deve aproveitar o ensejo para aniquilar com os culpados também alguns inocentes do partido contrário, pode o júri absolver os revolucionários inocentes, o que é um verdadeiro e poderoso incentivo para novas rebeliões.

— Então, quando o governo diz: *mata*!...

— Deve haver sempre um juiz que diga: *esfola*! Isto será entendido: o governo tem sempre razão.

— E se os homens que, no governo, disserem *mata*! descerem do poleiro, e subirem os outros, que estavam debaixo?...

— Ficam estes tendo sempre razão, e eu a dar-lhes *apoiados e bravos*, apenas desconfiar que eles abrem a boca.

— Oh compadre! Você é um herói, e um homem extraordinário!

— Herói, não duvido; mas extraordinário, nego; porque há tanta gente que pensa e pratica tal e qual, como eu, que não tenho remédio senão me considerar um homem muito ordinário.

— Isso agora também é verdade.

Assim, conversando, era eu levado pelo meu compadre para a casa, onde se reunia o júri, que era a mesma em que celebrava suas sessões a câmara municipal da vila; mas, ao dizer-me suas últimas palavras, tinha o sr. Paciência carregado os sobrolhos, e eu entendi que devia fazer ponto final; porque o tal velhinho liberal há de ser por força como todos os liberais, que não têm papas na língua e atiram à cara da gente coisas que só se devem dizer por detrás.

Se eu algum dia chegar a ser somente subdelegado e apanhar o compadre Paciência debaixo da minha jurisdição, juro que o farei trancafiar na cadeia, como perturbador da ordem e do sossego público, ou pelo menos o mandarei muito bem recomendado para o palácio da Praia Vermelha; porque este meu compadre é um doido, e um doido perene.

Pois não se lhe meteu na cabeça o defender o júri?...

O que é júri?...

O júri é um tribunal, para ser membro do qual basta ter bom senso, segundo diz a lei, e por consequência não há bicho careta que não se suponha com direito de ser jurado!...

Vejam que lei estúpida, ou antes que excelente lei e que estúpida interpretação se lhe dá. Bom senso! Pois deveras o bom senso é coisa que se ache por aí assim com tanta facilidade, que não há freguesia que não dê cinquenta ou cem jurados?...

Bom senso muitas e muitas vezes não se encontra nos atos dos próprios diretores do governo do país.

Há ministros que baralham de tal modo os negócios exteriores, que fazem com que a nação carregue às costas com os Estados vizinhos, e ainda em cima seja olhada como inimiga pelos mesmos Estados limítrofes que sustenta e defende. Serão aconselhados pelo *bom senso* tais atos de tais ministros?...

Há deputados que pelo simples prazer de agredir um ministro comprometem o governo do seu país com governos estrangeiros, atirando no meio da discussão proposições imprudentes, intempestivas, e inconvenientes: terão *bom senso* tais deputados?...

Há jornalistas que defendem até as medidas mais revoltantes tomadas pelo ministério, e outros que atacam os atos os mais justos e santos do governo, só pelo gosto de os defender ou atacar, porque aqueles que estão no poder são seus correligionários ou adversários: terão *bom senso* tais jornalistas?...

Terão *bom senso* aqueles que gastam com um teatro italiano (nem ao menos é com o teatro nacional!) tanto dinheiro quanto seria necessário para abrir uma estrada de algumas léguas, e isto em um país que precisa tanto de estradas como de pão para boca um pai de família, que pede esmolas?...

Terão *bom senso* aqueles que estragam a moeda sublime com que nas monarquias se costuma pagar os serviços relevantes feitos à Pátria, e à coroa, barateando os títulos, as honras, e por consequência depreciando essa bela e *proveitosa* moeda?...

Eu podia ir ainda muito além; vejo-me porém quase a esbarrar com o nariz na porta da casa do júri, e não devo prosseguir.

Isto mesmo que acabo de escrever na *Carteira de meu tio* há de ficar muito em segredo; porque aliás seria um verdadeiro comprometimento para mim; pois que falei na linguagem do compadre Paciência, e não segundo as lições da escola que sigo.

É que, em me lembrando do tal *bom senso*, fico fora de mim e digo asneiras.

Vou entrar pela porta do júri; mas antes de o fazer, quero tirar a minha conclusão a respeito do *bom senso.*

Lá vai ela.

Se o *bom senso* é, como eu entendo, o *senso bom*, a disposição da lei acerca do júri é ótima; porque os apuradores ou designadores dos jurados poderão nulificar essa instituição imoral e perigosa, não achando nunca *bom senso* no povaréu da Constituição, e tornando por isso impossível o júri.

Se, porém, entende-se por *bom senso* o senso comum, proponho que se acabe com o maldito júri, e para isso não é preciso discussão nas câmaras, nem projetos, nem ordem do dia, nem discursos; basta que um ministro, ainda que seja o da marinha, lavre uma portaria, dizendo. — *Hei por bem revogar o júri* — E está acabado tudo.

Não seria o primeiro nó górdio que por tal modo se desatasse no Brasil. Graças à providência nós temos tido por ministros de estado na nossa terra cada Alexandre Magno do tamanho assim! Não é brinquedo; ministros como o *juiz de paz da roça* que revoga a Constituição por uma vez somente, contamos apenas um ou outro; mas que revogam a pobre *defunta viva,* somente por muitas vezes, isso é um gosto: conta-se às dúzias!

*Stop*! que entrei na sala do júri.

O compadre Paciência avançou um passo adiante de mim, e foi o primeiro a penetrar no recinto daquele templo da justiça: o prazer expandia o rosto do pateta do velho e sua cabeça, com o que se ergueu altiva e orgulhosa para saudar essa fantasmagoria de tribunal filho de uma instituição democrática e revolucionária.

O meu compadre é um pobre homem, que tem a cabeça cheia de lantejoulas e caraminholas, e ainda acredita nas cebolas do Egito!

Creio que lhe caiu a alma aos pés quando passou além da porta: conheci que se lhe torceu o nariz, como se sentisse mal cheiro, e que se fez amarelo, como se fosse de repente atacado de alguma dor de barriga.

Eis aqui o que eu vi.

A sala destinada para o júri era vasta, e podia conter além dos membros do tribunal grande número de espectadores; mas dentro desse mundo forrado e assoalhado, viam-se apenas o juiz de direito, o promotor, um advogado, dois procuradores, o escrivão, quatro meirinhos, alguns curiosos, e os jurados enfim, que chegando a duas dúzias, *apparent rari nantes in gurgite vasto*,[44] e podiam-se comparar, espalhados como estavam por aquele imenso salão, raros camarões que nadam nas sopas das sextas-feiras no jantar do seminário.

O juiz de direito, sentado na sua cadeira presidencial, mostrava-se firme, imóvel e estático, como o convidado de pedra; mas dentro de si estava dando a todos os diabos a maldita instituição do júri, que naquele momento tinha o desaforo de lhe impedir o prazer de fumar um *havana.*

O promotor, sorrindo-se maliciosamente e com a graça própria de um jovem doutor de esperanças, fitava de vez em quando a sua luneta sobre algum dos jurados e divertia-se depois desenhando com o lápis a casaca de abas de tesoura de um, e as calças de longas presilhas de outro, entremeando os desenhos com versinhos epigramáticos à estúpida instituição do júri.

O advogado contentava-se com fazer notar aos dois procuradores o quanto aquela sala se mostrava própria para um baile, e como estava mal empregada destinando-se ao júri, que é uma instituição contrária ao bom senso, ao espírito público e à boa administração da justiça.

44. "Raros nadadores aparecem no vasto sorvedouro." Verso de Virgílio na descrição de um naufrágio (*Eneida*, Livro, I, 1, 118). Em sentido figurado, aplica-se a uma situação em que poucos entre os circunstantes se destacam. (N. da E.)

O escrivão resmungava, maldizendo os *ossos* do ofício, e praguejando contra essa patacoada chamada júri.

Os jurados queixavam-se uns aos outros da mancada que sofriam, e estavam pelos cabelos.

Era uma revolta geral, embora abafada, contra a fatal instituição.

No fim de uma longa hora foram sorteados novos jurados, e o juiz de direito declarou que adiava a sessão para o dia seguinte, por falta de número.

Ninguém foi multado, porque entre os que tinham faltado contavam-se duas *potências* eleitorais, que era preciso respeitar.

Levantaram-se todos, e começou a palestra: o juiz de direito foi para um gabinete fumar o seu *havana*, tendo primeiro convidado ao promotor e a dois jurados para jogar o voltarete.

Misturaram-se homens da justiça oficial, jurados e espectadores: vi-me obrigado a acompanhar o compadre Paciência, que se foi metendo por meio daquela gente, como piolho por costura.

O primeiro que tomou a palavra foi o escrivão, que começou a *xingar* o júri com toda a força de seus pulmões: o homem era verboso, e eloquente, como um padre-mestre; tinha porém o defeito de, quando falava, cuspir em todos que estavam de redor dele; porque soltavam-lhe da boca os perdigotos, como centelhas da forja de um ferreiro: dessa vez o orador cuspia não só nos circunstantes, mas também e principalmente no júri.

Olhei para o compadre Paciência, e logo reparei que ele já tinha a ponta do nariz vermelha, e os olhos abrasados: agarrei-lhe no rabo da nízia[45] e pedi-lhe que se mantivesse na *ordem*: porém o velho deu um arranco, e escapou-me das mãos; é notável! Nesta minha terra quanto mais comprido se tem o rabo, melhor se escapa da ratoeira, e mais audácia e altas pretensões se apresenta!... pois a nízia do meu compadre tinha um rabo tão grande, que parecia de ganhador político que já chegou à *excelência*.

Previ que íamos ter arenga no beco, ou tempestade na sala. Assim aconteceu.

O escrivão acabava de levantar a voz e de exclamar:

— O júri é uma inspiração do demônio das revoluções, ou um parto de cabeças desmioladas...

45. Termo não encontrado em dicionários. Cândido de Figueredo e Caldas Aulete registram niza: s. f., espécie de casaco curto, jaquetão ordinário, em geral de saragoça. (N. do E.)

Quando o compadre Paciência, saindo-lhe à frente, e cortando-lhe a palavra, respondeu:

— O senhor escrivão não deve caluniar assim uma das mais santas instituições do país.

— Quem é você?...

— Ora quem sou eu!... Sou um cidadão brasileiro: serve-lhe esta?...

— E quem o chamou cá?... Quem lhe deu o direito de meter-se comigo?

— E quem deu ao senhor o direito de atacar em um lugar público uma instituição estabelecida pelas leis? Quem o autorizou para sofismar de um modo repreensível contra o júri!...

— Sofismar!... Pois a minha lógica...

— Qual lógica, nem meia lógica! O que estava fazendo era lançar a descrença no coração simples e bom desses homens honrados, porém rudes, e isso é um verdadeiro crime.

O compadre Paciência voltou-se para os jurados, e tomando uma larga respiração, começou, como um tribuno de véspera de eleição, a proclamar por este teor e forma:

— Meus amigos, sou roceiro, e vivo de plantar cana e mandioca, assim como vós, e por isso devemos melhor que ninguém entender-nos; escutai pois: eu vou demonstrar-vos que o júri é uma das mais santas instituições, e que o mais ignorante de vós, contanto que tenha *espírito são*, está perfeitamente habilitado para ser um excelente jurado; ora bem...

Os jurados cercaram o compadre Paciência, como se se alegrassem de ir ouvir um homem que era lavrador como eles, e que não se temia de ter um *bate-barba* com o escrivão; mas este, dando o cavaco por ver que lhe roubavam o seu auditório, atirou-se adiante do orador, e não o deixando passar além do exórdio, exclamou:

— Deixem-me confundir este doutoraço de triste figura, que não pode deixar de ser algum barbeiro de aldeia...

— Pois vamos lá, confunda-me senhor barbeiro da cidade!

— Diga: negará porventura que no Brasil o júri tem dado mil exemplos de decisões injustas, e de sentenças impostas pelo patronato?... não, e não; logo, morra o júri!

— Muito bem, senhor escrivão — respondeu o meu compadre. — Aceito o princípio e a consequência: o júri tem sido mil vezes injusto no Brasil, logo, morra o júri!

O escrivão soltou uma gargalhada de triunfo, e o compadre prosseguiu.

— Mas o que a sua lógica decide ou conclui a respeito do júri deve também concluir a respeito de todos os juízes e tribunais injustos; ora, ninguém ignora que muitos juízes municipais e de direito têm cometido no foro clamorosas injustiças, alguns por ignorância, outros por compadresco, e outros até por corrupção; logo, morram os juízes municipais e de direito!... Que diz a lógica?... Diga, têm sido sempre justas as decisões das relações?... Não pecam elas mil vezes?... Não é certo que até o próprio Supremo Tribunal de Justiça uma vez por outra *sicut et nos manqueja de um olho*?... Logo morram as relações e morra o Supremo Tribunal de Justiça!... Que diz a lógica? Oh! Mas o raio deve ferir unicamente o júri: os jurados devem ser objeto das mais severas censuras, ao mesmo tempo que os magistrados, responsáveis por seus erros, e tantas vezes errando, nunca provam o amargor de uma séria, consciencioso responsabilidade, porque enfim, lobo não mata lobo!... Que diz a lógica?...

— Os jurados absolvem a todos os afilhados e capangas dos potentados das vilas! — bradou o escrivão.

— Absolvem alguns, é certo; não sabe porém a razão disso?... Primeiramente é porque muitas vezes os magistrados da vila, pretendentes a deputações e por isso dependentes dos potentados, influem no espírito dos jurados, e promovem até às escancaras essas absolvições, e em segundo lugar é porque não há segurança individual no país, e os cidadãos recuam ante a vingança e o furor dos poderosos; dê o governo segurança individual a todos, como lhe cumpre, e verá se a coisa vai se endireitando ou não. O que faz porém o governo?... Corteja, estende a mão, e cobre de honras os próprios mandatários de crimes, quando precisa deles para as eleições; dá-lhes todos os empregos, e arma-os de novos e terríveis meios de vingança e de terror. E dizem que o júri é a causa da impunidade! Ora, é boa! A causa da impunidade é a mania de fazer deputados e senadores que têm o governo: olhe, meu caro escrivão, se quer que eu lhe conceda que o júri é mau, há de me conceder primeiro que o nosso governo é péssimo.

Tornei a agarrar nas abas da nízia de meu compadre.

O escrivão já estava vendendo azeite às canadas,[46] tanto mais que via os jurados darem sinais de aprovação ao compadre Paciência, e foi com voz alterada e cuspindo em todos ao redor de si que tornou, bradando:

46. Expressão que significa fugir às pressas, esgueirar-se. (N. da E.)

— Sustento e juro que esta coisa chamada júri é prejudicial e inconveniente mesmo para os desgraçados réus. Olhe, senhor liberalão, olhe ali para aquela cadeia, e saiba que dentro dela existem alguns acusados que esperam há três anos pelo seu julgamento, e que por isso amaldiçoam comigo esse tribunal funesto, que nem se reúne no tempo determinado pela lei!...

— E de quem é a culpa?... — perguntou o compadre. — O senhor e os presos a quem devem maldizer eram a autoridade que tinha obrigação de convocar o júri, e que o não fez: e quer saber por que isto acontece?... é porque os magistrados em vez de permanecerem nas suas comarcas e vilas administrando a justiça, fazem-se deputados gerais, e provinciais, e além do tempo das sessões das câmaras, passam também fora dos seus lugares de magistratura longos meses de licença gozada em detrimento do serviço público: olé! Mas a pepineira está por um triz: já temos as *relativas*, senhor escrivão, e as *absolutas* hão de vir correndo, como os rios correm para o mar; as incompatibilidades são uma espécie de maná do céu, que está sabendo a gaitas ao paladar do povo!...

— Que indignidade! — exclamou o escrivão. — Homem dos diabos! Não está vendo diante do seu nariz um tristíssimo exemplo? ... Não vê que o júri foi hoje convocado, depois de três anos, e que não se reuniu o número legal de jurados?...

— Necessariamente assim deve acontecer; pois estes honrados lavradores, que leem nos jornais as descomposturas que ministros de estado, senadores e deputados dão ao júri; que ouvem até os escrivães insultando e desacreditando este respeitável tribunal: não hão de desgostar-se de fazer parte dele?... Não hão de procurar fugir de tomar parte nas deliberações desse júri injuriado, caluniado e amaldiçoado por aqueles mesmos que o deviam honrar e trabalhar por acreditá-lo?... Oh! sim! Eu desculpo os jurados; mas reconheço que eles erram gravemente, furtando-se a comparecer e desempenhar os seus deveres no júri; erram sim, porque dessa maneira emprestam armas aos inimigos de uma tão admirável instituição, que entretanto se pretende nulificar para erguer no país o poder onipotente da beca. Safa! que *os projetos* são de fazer arrepiar os cabelos!... Estou vendo que mais dia menos dia querem que se mande arrear o estandarte auriverde, e que se levante no pau do morro do Castelo uma beca por bandeira nacional!

— O senhor é um homem que divaga, que não argumenta, e que não diz coisa com coisa! Tem olhos e não quer ver; tem ouvidos e não quer ouvir: pois não compreende, não lhe entra nessa cabeça de abóbora que um povo ignorante, como o nosso, ainda está muito longe de achar-se habilitado para cumprir a missão difícil e espinhosa que compete aos jurados?... O Brasil está muito atrasado, meu velho doido; o júri é uma coisa muito sublime para esta terra de caboclos, meu liberalão das dúzias!

Eu estava espantado da prudência que até então havia mostrado o compadre Paciência, e tanto que tinha deixado escapar de minhas mãos o rabo da nízia; e minha admiração, porém, subiu de ponto ao vê-lo rir-se dos insultos que lhe eram dirigidos, e responder, sem se exaltar, como quem não tinha sido chamado *velho doido, e cabeça de abóbora!*

— Engana-se, meu estupendíssimo escrivão, engana-se redondamente: não é necessário ser letrado, nem sábio para ser um excelente jurado; escute lá um juízo insuspeito, pois que não saiu da boca de nenhum rusguento, nem da cabeça de nenhum liberalão; é o juízo de Catarina, imperatriz da Rússia: olhe que é da Rússia, terra bem-aventurada, onde se come sebo e se tem suspenso sobre as costas o incomparável *knout*, que é um amável e delicado chicotinho, feito de couro de boi trançado e terminando em muitas pontas do mesmo couro, as quais acabam ainda com o seu suplemento de fios de ferro torcidos; impagável instrumento, a que estão sujeitos criminosos e soldados! Doze vergalhadinhas bem puxadas mandam um homem desta para melhor vida! por certo que é um instrumento mil vezes superior ao *bacalhau*, com que castigamos os nossos escravos: viva a Rússia! Mas vamos à questão: eis aqui o que dizia a imperatriz Catarina: "Nas pesquisas das provas de um delito, é necessário destreza e habilidade, é necessário ainda clareza e precisão para formular o resultado dessas pesquisas; mas para *julgar*, segundo esse mesmo resultado, não é preciso senão o simples *bom senso,* que guia com mais segurança do que o *saber de* um juiz habituado a querer encontrar culpados por toda a parte."

O escrivão não se atreveu dessa vez a replicar: ouvindo pronunciar o nome da Rússia e da imperatriz Catarina, curvou a cabeça de um modo teatral e respeitoso.

O compadre prosseguiu, voltando-se para os jurados.

— Meus amigos, não acrediteis nas histórias da carochinha que vos querem embutir os tais reformadores do júri; a obrigação do jurado se limita a conhecer o fato, e não há um só de vós que não seja capaz de desempenhar essa missão. Também eles diziam aqui há anos atrás que os nossos males provinham da chamada *justiça barata*, e fizeram uma reforma para acabar com os juízes populares: mas qual foi o resultado da reforma? ... Em lugar de um juiz municipal, e outro de órfãos, que eram os juízes leigos, deram-nos igualmente leigos seis suplentes do juiz municipal, um delegado, uns poucos de subdelegados, e uma dúzia de suplentes de tudo isso em cada vila!... E os sujeitos bradavam que as vilas não tinham gente para os dois lugares de juízes leigos!... De modo que onde não havia dois, descobriram eles duas dúzias!... E que tais! Oh! Sr. escrivão, como é que se diz em certos casos lá na sua geringonça judiciária?... não é: — *embargado seja o embargante*?... Pois eu parafraseio o dito, e requeiro que *reformados sejam estes reformadores.*

O escrivão deu um salto para frente, cuspiu à direita, cuspiu à esquerda, e exclamou gritando como um possesso:

— Os grandes estadistas da minha terra já condenaram definitivamente o júri.

— Puff!... — bradou o compadre Paciência.

— E não há de ser um velho desmiolado quem me fará adotar ideias perigosas e anárquicas!...

— Puff puff!... Sr. escrivão!

— Abaixo o júri!... Morra o júri!... — gritou o escrivão.

— Viva o júri!... Vivam as instituições livres!... — gritou ainda mais alto o compadre.

— Morra!...

— Viva!...

O escrivão não pôde mais conter-se. Vermelho como um camarão torrado, com os olhos em chamas e a boca espumante, avançou um passo para o meu pobre compadre Paciência, e como último argumento da sua lógica, deu-lhe tão tremendo murro, que quase o deitou por terra.

Em um abrir e fechar de olhos filaram-se os dois antagonistas; o escrivão agarrou-se aos peitos da nízia do compadre de meu tio, e fez honra igual à aristocrática e bela casaca do seu adversário.

Os jurados começaram a dar gritos de *ordem! ordem!* e eu, achando que devia pôr um termo àquela vergonhosa briga, principiei a puxar pelas abas da nízia do compadre, com quanta força tinha, e tanto puxei, que por fim de contas caí de pernas para o ar com as abas da nízia nas mãos, enquanto o escrivão caía do outro lado ao mesmo tempo e também de pernas para o ar com os peitos da nízia entre os dedos, ficando em pé entre nós o compadre Paciência com a gola e os traseiros da nízia no corpo.

Valente nízia aquela!... Resistiu, e ainda em pedaços ficou no corpo do seu dono, como Sebastopol em poder dos russos, apesar dos postos avançados que tomam os aliados. Ou para mais propriedade da comparação, a nízia fez-me lembrar a Constituição do Império, que por mais que lhe tenham arrancado retalhos e pedaços, ainda se conserva, embora dilacerada, presa ao coração do povo.

Mas a desordem não ficou aí.

— Viva o júri!... — tinha bradado vitoriosamente o intrépido e indomável Paciência, que apenas viu em pé o seu adversário atirou-se de novo sobre ele.

Os jurados acudiram então, e o escrivão, dando às gâmbias,[47] pois recebera provas da força do velho, pôs-se a gritar com toda força dos seus pulmões:

— Ah quem d 'El-Rei! Querem assassinar-me!... Ah quem d 'El -Rei!...

O juiz de direito, o promotor e o advogado já estavam jogando o voltarete, e muito ocupados com uma *casca* não se lembraram de que o escrivão poderia *dar à casca*[48] .

Mas de súbito acudiram três meirinhos, e logo após o subdelegado (mestraço de eleições); apenas os viu o escrivão correu para eles, e bradou para a autoridade policial:

— Senhor subdelegado, prenda aquele revolucionário!

O subdelegado não fez mais cerimônia; piscou um olho aos meirinhos, e dirigindo-se ao compadre Paciência, exclamou:

— Está preso!

— Eu preso?... E o escrivão?...

— Não é da sua conta.

— Eu fui o agredido... Apelo para estes senhores...

— Apele depois de estar na cadeia.

— É uma injustiça!...

— Silêncio! Não insulte as autoridades!

— É uma prepotência!...

— Meirinhos! — gritou o subdelegado. — Tranquem-me já e já esse tratante na enxovia!...

— Na enxovia?... Eu na enxovia?... Isso é contra a Constituição... é uma infâmia!...

O compadre Paciência queria ainda protestar; mas os três meirinhos agarraram-se a ele, e sem respeito a seus velhos anos o foram levando quase de rastos.

47. Dar à gâmbias: fugir. (N. da E.)

48. Dar à casca: morrer, perder tudo, arruinar-se. (N. da E.)

— Ora viva lá a Constituição!... — disse o escrivão, soltando uma risada de escárnio.

Cinco minutos depois estava o pobre compadre Paciência trancafiado no xilindró!

Ah, que se ele não fosse compadre de meu tio, não me causaria dó nem piedade a sua sorte. Os tais senhores liberais e preconizadores do progresso são verdadeiros condutores de peste, e devem por isso mesmo ser recolhidos à cadeia, espécie de lazaretos muito convenientes para se guardarem em quarentena os patriotas.

Ainda bem que a polícia entende a coisa assim e prende e solta a quem quer, sem dar satisfação a ninguém; se não fosse a polícia teria o Brasil dado à costa nos cachopos da anarquia! Viva pois a polícia, que é o sexto e penúltimo poder do Império.

Digo sexto e penúltimo porque, além dos quatro poderes reconhecidos pela *defunta*, ainda há mais três, em que ela não fala, e que são os seguintes:

5º — Patronato.

6º — A polícia.

7º — O fisco.

Tornando, porém, ao meu compadre, não tenho remédio senão ir tocar os pauzinhos para tirá-lo da enxovia; sou por consequência obrigado a interromper, não sei por que tempo, a minha viagem.

E enquanto o pássaro não sai da gaiola, tratarei de ver se engordo o ruço-queimado e a mula ruça do meu compadre, para continuar em breve e menos vagarosamente esta importantíssima viagem, e encher com observações novas a *Carteira de meu tio.*[49]

49. Joaquim Manuel de Macedo continuará a sua sátira romanceada em *Memórias do sobrinho de meu tio,* publicadas em 1867-1868, em dois volumes. (N. da E.)

Este livro foi composto com a tipografia Times New Roman
e impresso pela Meta Brasil.